Nachwort von
Ernst Schürer

Philipp Reclam jun. Stuttgart

Der Text folgt den *Gesammelten Werken*, Bd. 3: *Politisches Theater und Dramen im Exil (1927–1939)*, hrsg. von John M. Spalek und Wolfgang Frühwald, München: Carl Hanser, 1978 (Reihe Hanser 252). Dieser Ausgabe liegt der Erstdruck zugrunde: *Hoppla, wir leben! Ein Vorspiel und fünf Akte*, Potsdam: Gustav Kiepenheuer, 1927.

RECLAMS UNIVERSAL-BIBLIOTHEK Nr. 9963
Gesamtherstellung: Reclam, Ditzingen. Printed in Germany 2011
RECLAM, UNIVERSAL-BIBLIOTHEK und
RECLAMS UNIVERSAL-BIBLIOTHEK sind eingetragene
Marken der Philipp Reclam jun. GmbH & Co. KG, Stuttgart
ISBN 978-3-15-009963-6

www.reclam.de

Gruß an Erwin Piscator
und Walter Mehring

Personen des Vorspiels

KARL THOMAS	SECHSTER GEFANGENER
EVA BERG	AUFSEHER RAND
WILHELM KILMAN	LEUTNANT
ALBERT KROLL	BARON FRIEDRICH
FRAU MELLER	SOLDATEN

Zeit 1919

Personen des Stückes

KARL THOMAS	ERSTER ARBEITER
EVA BERG	ZWEITER ARBEITER
WILHELM KILMAN	DRITTER ARBEITER
FRAU KILMAN	VIERTER ARBEITER
LOTTE KILMAN	FÜNFTER ARBEITER
ALBERT KROLL	UNTERSUCHUNGSRICHTER
FRAU MELLER	OBERKELLNER
RAND	HAUSDIENER
PROFESSOR LÜDIN	TELEGRAPHIST
BARON FRIEDRICH	PIKKOLO
GRAF LANDE	SCHREIBER
KRIEGSMINISTER	WIRT
BANKIER	POLIZEIOBERST
SEIN SOHN	ERSTER POLIZIST
PICKEL	ZWEITER POLIZIST
DIENER IM MINISTERIUM	DRITTER POLIZIST
WÄRTER IM IRRENHAUS	VORSITZENDER DER GRUPPE
STUDENT	GEISTIGER KOPFARBEITER
FRITZ	PHILOSOPH X
GRETE	LYRIKER Y

KRITIKER Z	WÄHLER
WAHLLEITER	ALTE FRAU
ZWEITER WAHLBEISITZER	DER GEFANGENE N.
ERSTER STIMMZETTELVERTEILER	JOURNALISTEN
ZWEITER STIMMZETTELVERTEILER	DAMEN, HERREN, VOLK
DRITTER STIMMZETTELVERTEILER	

Das Stück spielt in vielen Ländern.
Acht Jahre nach einem niedergeworfenen Volksaufstand.
Zeit: 1927

Anmerkung für die Regie

Alle Szenen des Stückes sind auf einem Gerüst spielbar, das in Etagen aufgebaut ist und ohne Umbau verwendet werden kann. Die Filmteile können in Theatern, in denen aus zwingenden Gründen Filmeinrichtungen nicht möglich sind, fortgelassen, oder durch einfache Projektionsbilder ersetzt werden.
Um das Tempo des Werkes nicht zu durchbrechen, soll möglichst nur eine Pause, und zwar nach dem 2. Akt, stattfinden.

Filmisches Vorspiel

Geräusche: Sturmglocken

Streiflichter knapp

Szenen eines Volksaufstandes

Seine Niederwerfung

Des dramatischen Vorspiels
Figuren
auftauchend ab und zu

Vorspiel

Große Gefängniszelle

KARL THOMAS Verfluchte Stille!

ALBERT KROLL Choräle singen gefällig?

EVA BERG In der französischen Revolution die Aristokraten tanzten im Menuett zur Guillotine.

ALBERT KROLL Romantischer Schwindel. Man hätte ihr Unterzeug untersuchen sollen. Der Duft wird nicht nach Lavendel gerochen haben.

(Stille.)

WILHELM KILMAN Mutter Meller, Ihr seid eine alte Frau. Ihr schweigt immer oder Ihr lächelt ... Habt Ihr gar keine Angst vor dem ... vor dem ...? Mutter Meller *(rückt an sie heran)* in den Beinen, da schüttert es mich vor Hitze, und da, um mein Herz preßt sich ein Eisring ... Versteht. Ich hab Frau und Kind ... Mutter Meller, ich hab solche Bange ...

FRAU MELLER Ruhig mein Junge, ruhig, das sieht sich nur so schlimm an, wenn man noch jung ist. Später verwischt es sich. Leben und Tod, das fließt zusammen. Aus einem Schoß kommst du, in andern Schoß wanderst du ...

WILHELM KILMAN Glaubt Ihr an Leben dort?

FRAU MELLER Nein, laß. Den Glauben haben mir die Lehrer ausgeprügelt.

WILHELM KILMAN Keines besuchte Euch. Wolltet Ihr nicht?

FRAU MELLER Meinen Alten und meine beiden Jungen stahlen sie mir im Krieg. Weh tats schon, aber ich dacht mir, kommen andere Zeiten. Und es kamen ja welche. Verloren ... Werden eben andere kämpfen ...

(Stille.)

KARL THOMAS Hört zu! Ich hab was gesehen.

EVA BERG Was?

KARL THOMAS Nein, nicht zusammenrücken. Die Glotzaugen am Spion ... Wir fliehen.

ALBERT KROLL   Blaue Bohnen gefällig?

KARL THOMAS   Seht das Fenster. Der Kalk an den Eisen ist losgebröckelt.

ALBERT KROLL   Ja, wirklich.

KARL THOMAS   Sitzt das große Kalkstück nicht künstlich fest?

ALBERT KROLL   Bestimmt.

KARL THOMAS   Seht ihr?

EVA BERG   Ja. Ja. Kinder. Zum Tollwerden.

FRAU MELLER   Ja. Wahrhaftig.

WILHELM KILMAN   Da wollte mal einer von draußen die Bude anspucken ... War kurz vorm Ziel ... Na, ich weiß nicht.

FRAU MELLER *(zu Wilhelm Kilman).* Was, Bangbüchs?

WILHELM KILMAN   Ja, aber ...

KARL THOMAS   Was gibts da aber?

ALBERT KROLL   Ihr wißt, daß ich nicht leichtsinnig bin. Doch es ist Nacht. Wie spät?

KARL THOMAS   Eben hats vier Uhr geschlagen.

ALBERT KROLL   Dann haben die Wachen gewechselt. Wir liegen im ersten Stock. Bleiben wir, können wir uns im Massengrab guten Morgen sagen. Fliehen wir, stehts zehn zu hundert. Und stünde es eins zu hundert, wir müßtens wagen.

WILHELM KILMAN   Wenn nicht ...

KARL THOMAS   Tot so oder so ... Du, Albert, marschierst Parademarsch, sechs Schritt hin und her, immer vom Fenster auf die Tür zu. Dann wird das Ochsenauge verdeckt für Sekunden, und dem draußen fällts nicht auf. Beim fünften Male springe ich ans Fenster, brech mit aller Kraft die Eisen los und dann ade, Gevatter.

EVA BERG   Ich schrei! Karl, ich küß dich tot.

ALBERT KROLL   Später.

KARL THOMAS   Laß sie doch. Sie ist so jung.

ALBERT KROLL   Erst springt Karl raus, als zweite Eva, dann packt Wilhelm Mutter Meller, schiebt sie hoch ...

WILHELM KILMAN   Ja, ja ... ich meine nur ...

FRAU MELLER   Laß ihn zuerst ... Mir braucht keiner zu helfen. Ich nehm es mit euch allen auf.

ALBERT KROLL   Maul nicht. Du kommst zuerst, dann Wilhelm, als letzter ich.

WILHELM KILMAN   Wenn die Flucht nicht gelingt. Wir sollten besser überlegen.

ALBERT KROLL   Wenn die Flucht nicht gelingt ...

KARL THOMAS   Weiß man je, ob Flucht gelingt? Wagen muß man, Genosse! Ein Revolutionär, der nicht wagt! Hättest bei Mutter Kaffee trinken sollen und nicht auf die Barrikaden gehen.

WILHELM KILMAN   Nachher wären wir alle verloren. Keine Hoffnung gäbs mehr.

KARL THOMAS   Hoffnung, zum Teufel! Auf was Hoffnung? Das Todesurteil ist gefällt. Seit zehn Tagen warten wir auf die Vollstreckung.

FRAU MELLER   Gestern abend haben sie nach den Adressen unserer Verwandten gefragt.

KARL THOMAS   Auf was also Hoffnung? Eine Salve, und wenn sie schlecht trifft, als Zugabe den Fangschuß. Guter Sieg oder guter Tod – seit Jahrtausenden hat die Losung nicht gewechselt.

WILHELM KILMAN *(duckt sich).* ...

KARL THOMAS   Oder .., hast du um Gnade gewinselt? Dann schwör wenigstens, daß du schweigen wirst.

WILHELM KILMAN   Warum laßt ihr zu, daß er mich beleidigt? Hab ich nicht geschuftet Tag und Nacht? Seit fünfzehn Jahren schinde ich mich für die Partei, und heut muß ich mir sagen lassen ... Mir wurde das Frühstück nicht am Bett serviert.

FRAU MELLER   Friede, alle beide.

KARL THOMAS   Denk doch ans Standgericht. Die und das Todesurteil aufheben ... Schlag an eine Betonwand, glaubst du, sie könnte je klingen den Klang entschlackter Glocke?

ALBERT KROLL   Los! Alle bereit? Eva, du zählst. Acht geben, Karl ... beim fünftenmal.

(Albert Kroll beginnt hin und her zu gehen, vom Fenster zur Tür, der Tür zum Fenster. Alle in Spannung.)

EVA BERG   Eins ... zwei ... drei ...

KARL THOMAS *(schleicht sich ans Fenster).*

EVA BERG   Vier ...

(Geräusch an der Tür. Tür kreischt auf.)

ALBERT KROLL   Verdammt!

(Herein Aufseher Rand.)

AUFSEHER RAND   Ob einer den Pfarrer wünscht?

FRAU MELLER   Was schämen soll sich der.

AUFSEHER RAND   Versündigen Sie sich nicht, alte Frau. Werden bald vor Ihrem Richter stehen.

FRAU MELLER   Die Würmer kennen keine Konfessionen, hab ich gelernt. Sagen Sie Ihrem Pfarrer, Jesus trieb Wechsler und Wucherer aus dem Tempel mit Peitschenhieben. Das mag er sich in seine Bibel schreiben, auf die erste Seite.

AUFSEHER RAND *(zum sechsten Gefangenen, der auf der Pritsche liegt).* Und Sie?

SECHSTER GEFANGENER *(leise).* Entschuldigt, Genossen ... Ich bin aus der Kirche ausgetreten mit sechzehn Jahren ... jetzt ... vorm Tode ... furchtbar ... versteht mich, Genossen ... Ja, ich will zum Pfarrer, Herr Aufseher.

WILHELM KILMAN   Revolutionär? Hosenscheißer! Zum Pfarrer! Lieber Gott, mach mich fromm, daß ich in den Himmel komm.

FRAU MELLER   Willst du dem armen Teufel Vorwürfe machen?

ALBERT KROLL   Vorm Tod ... Laß ihn.

WILHELM KILMAN   Man darf wohl noch seine Meinung sagen.

(Aufseher und sechster Gefangener hinaus. Tür wird geschlossen.)

ALBERT KROLL   Er wird uns nicht verraten?

KARL THOMAS   Nein.

ALBERT KROLL   Aufpassen! Jetzt muß er mit dem gehen,

kann also nicht spionieren. Karl, los, ich helfe dir. Hier,
auf meinen Buckel ...
(Albert beugt sich. Karl steigt auf Alberts gekrümmten
Rücken. Wie er beide Hände zum Fensterrand streckt,
um die Eisenstäbe zu packen,
knattern
von unten Gewehre,
Scherben und Kalkstücke fliegen in die Zelle.
Karl Thomas springt von Albert Krolls Rücken. Alle
starren sich an.)

ALBERT KROLL   Bist du verwundet?

KARL THOMAS   Nein. Was war das?

ALBERT KROLL   Nichts Besonderes. Sie bewachen unser Fenster. Kleine Kompanie.

EVA BERG   Das ... bedeutet ...?

FRAU MELLER   Sich bereit machen, Kind.

EVA BERG   Für den ... für den Tod ...?
(Die anderen schweigen.)

EVA BERG   Nein ... nein ... *(Schluchzt, weint.)*

FRAU MELLER   *(geht zu ihr, streichelt sie).*

ALBERT KROLL   Wein nicht, Mädchen. Wir Revolutionäre
sind alle Tote auf Urlaub, hat mal einer gesagt.

KARL THOMAS   Laß sie, Albert. Sie ist jung. Kaum siebzehn Jahre. Für sie heißt Tod das kalte schwarze Loch,
in dem sie liegen muß, ewig. Und über ihrem Grab
warmes Leben, berauschend, bunt und süß.
(Karl Thomas bei Eva Berg.)

KARL THOMAS   Deine Hände.

EVA BERG   Du.

KARL THOMAS   Ich liebe dich sehr, Eva.

EVA BERG   Ob sie uns zusammen begraben, wenn wir sie
drum bitten?

KARL THOMAS   Vielleicht.
(Albert Kroll springt auf.)

ALBERT KROLL   Verdammte Quälerei! Warum kommen sie
nicht! Ich hab mal gelesen, Katzen quälen Mäuse so
lange, weil die so gut riechen in Todesangst ... bei uns

muß es andere Finessen geben. Warum kommen sie
nicht? Warum kommen die Hunde nicht?

KARL THOMAS Ja, warum kämpfen wir? Was wissen wir?
Für die Idee, für die Gerechtigkeit – sagen wir. Keiner
grub so tief in sich, um vor dem letzten nackten Grund
den Kopf zu beugen. Wenn – es letzte Gründe gibt.

ALBERT KROLL Versteh ich nicht. Daß die Gesellschaft, in
der wir leben, schmarotzt von unserer Hände Schweiß,
wußte ich schon als sechsjähriger Junge, wenn ich morgens um fünf Uhr aus dem Bett gerissen wurde, um
Semmeln auszutragen. Und was geschehen muß, damit
das Unrecht ein Ende nehme, wußte ich eher, als ich
ausrechnen konnte, wieviel zehn mal zehn ist ...

KARL THOMAS Blick dich um, was stürzt sich alles zur
Idee, in Revolution, in Krieg. Der läuft seiner Frau
weg, weil sie ihm den Tag zur Hölle macht. Der andere
wird nicht fertig mit dem Leben und hinkt und hinkt,
bis er eine Krücke findet, die wunderbar aussieht und
ihm bißchen Heldenschein gibt. Der dritte glaubt, er
könne seine Haut, die ihm zuwider ward, wechseln mit
einem Schlag. Der vierte sucht Abenteuer. Immer sind es
wenige, die müssen aus innerstem Zwang.

*(Geräusch. Tür kreischt auf. Herein sechster Gefangener.
Stille.)*

SECHSTER GEFANGENER Nehmt ihrs mir übel, Genossen?
Ich bin nicht bekehrt, Genossen ... Aber ... es macht
ruhiger ...

KARL THOMAS Judas!

SECHSTER GEFANGENER Aber liebe Genossen ...

ALBERT KROLL Wieder keine Entscheidung! Wieder warten! Rauchen möcht ich, hat keiner einen Stummel?

(Sie suchen in ihren Taschen.)

ALLE Nein.

KARL THOMAS Wart ... wirklich ... ich habe eine Zigarette.

ALLE Her damit! Her damit!

ALBERT KROLL Streichhölzer? Essig.

WILHELM KILMAN   Ich hab eins.

ALBERT KROLL   Die müssen wir uns teilen, versteht sich.

WILHELM KILMAN   Wirklich?

EVA BERG   Ja, bitte.

KARL THOMAS   Mein Teil kann Eva haben.

FRAU MELLER   Meinen auch.

EVA BERG   Nein, jeder einen Zug.

ALBERT KROLL   Gut. Wer fängt an?

EVA BERG   Wir losen.

ALBERT KROLL *(zerreißt ein Taschentuch in Stücke).* Wer das kleinste Stück zieht.
   (Alle ziehen.)

ALBERT KROLL   Mutter Meller fängt an.

FRAU MELLER   Man zu. *(Raucht.)* Jetzt kommst du dran.
   (Gibt die Zigarette Wilhelm Kilman.)

WILHELM KILMAN   Hoffentlich überrascht uns keiner.

ALBERT KROLL   Was wollen sie uns antun? Vier Wochen Einzelhaft als Strafe! Hahaha.
   (Alle rauchen, jeder einen Zug. Beobachten sich scharf.)

ALBERT KROLL   Karl, du darfst nicht zwei Züge rauchen.

KARL THOMAS   Red nicht so Zeug.

ALBERT KROLL   Hab ich etwa gelogen?

KARL THOMAS   Ja.

WILHELM KILMAN *(zu Albert).* Du hast viel länger gesaugt als wir.

ALBERT KROLL   Halts Maul, Feigling.

WILHELM KILMAN   Feigling nennt er mich.

ALBERT KROLL   Wo verkrochst du dich in den Tagen der Entscheidung? Wo rutschtest du deinen Hosenboden blank, als wir das Rathaus stürmten – im Rücken den Gegner, vor uns das Massengrab? Wo stecktest du?

WILHELM KILMAN   Hab ich nicht zu den Massen gesprochen vom Balkon des Rathauses?

ALBERT KROLL   Ja, als wir die Macht hatten. Vorher nicht für, nicht wider. Dann mit Wuppdich zum Futtertrog.

KARL THOMAS *(zu Albert Kroll).* Du hast kein Recht, so zu sprechen.

ALBERT KROLL   Bürgersöhnchen!

FRAU MELLER   Pack, euch zu zanken, fünf Minuten vor der
Mauer ...

WILHELM KILMAN   Feigling nennt er mich! Ich habe fünfzehn Jahre ...

ALBERT KROLL *(äfft ihn nach).* Fünfzehn Jahre ...
Bonze ... Keine große Ehre, mit euch zusammen ins
Gras zu beißen.

EVA BERG   Pfui!

KARL THOMAS   Ja, pfui.

ALBERT KROLL   Was pfui! Leg dich mit deiner Hur in die
Ecke und mach ihr ein Kind. Das kann dann im Grabe
auskriechen und mit den Würmern spielen.
(Eva Berg schreit auf.
Karl Thomas springt Albert Kroll an.)

SECHSTER GEFANGENER *(aufspringend).* Himmlischer Vater,
das ist dein Wille?!
(Wie sie beide sich an der Gurgel halten, Geräusch. Tür
kreischt auf. Sie lassen sich los.)

AUFSEHER RAND   Gleich kommt der Herr Leutnant. Sie
müssen sich bereithalten. *(Geht.*
Albert Kroll geht auf Karl Thomas zu, umarmt ihn.)

ALBERT KROLL   Man weiß nichts von sich, Karl. Das war
ich nicht eben, das war ich nicht. Gib mir die Hand,
kleine Eva.

KARL THOMAS   Seit zehn Tagen warten wir auf den Tod.
Das hat uns vergiftet.
(Geräusch. Tür kreischt auf.
Herein: Leutnant mit Soldaten.)

LEUTNANT BARON FRIEDRICH *(zu Albert Kroll).* Stehn Sie
auf. Im Namen des Präsidenten. Das Todesurteil wurde
rechtskräftig gefällt. *(Pause.)*
Als Zeichen seiner Gnade und seines Willens zur Ver-
söhnung hat der Präsident das Urteil aufgehoben.
Die Verurteilten werden in Schutzhaft behalten und sind
sofort ins Internierungslager zu überführen.
Ausgenommen Wilhelm Kilman.

KARL THOMAS *(lacht wiehernd auf)*.

EVA BERG   Du lachst so entsetzlich, Karl.

FRAU MELLER   Die Freude.

LEUTNANT BARON FRIEDRICH   Lachen Sie nicht, Mann.

EVA BERG   Karl! Karl!

ALBERT KROLL   Der lacht nicht aus Spaß.

FRAU MELLER   Sehn Sie ihn doch an. Den hats geschmissen.

LEUTNANT BARON FRIEDRICH *(zum Aufseher)*. Führen Sie ihn zum Arzt.

(Karl Thomas wird abgeführt. Eva Berg begleitet ihn.)

ALBERT KROLL *(zu Wilhelm Kilman)*. Du allein bleibst. Verzeih mir, Wilhelm. Wir vergessen dich nicht.

FRAU MELLER *(im Hinausgehen zu Albert Kroll)*. Gnade. Wer hätte gedacht, daß die Herren sich so schwach fühlen.

ALBERT KROLL   Schlimmes Zeichen. Wer hätte gedacht, daß die Herren sich so stark fühlen.

(Alle hinaus, bis auf Leutnant Baron Friedrich und Wilhelm Kilman.)

LEUTNANT BARON FRIEDRICH   Der Präsident hat Ihr Gnadengesuch bewilligt. Er glaubt Ihnen, daß Sie gegen Ihren Willen in die Reihen der Aufrührer kamen. Sie sind frei.

WILHELM KILMAN   Danke gehorsamst, Herr Leutnant.

(Vorhang.)

Filmisches Zwischenspiel

(Hinter der Bühne)
CHOR *(rhythmisch anschwellend, rhythmisch verebbend).*
Prost Neujahr! Prost Neujahr!
Extrablatt! Extrablatt!
Große Sensation!
Extrablatt! Extrablatt!
Große Sensation!

(Auf der Leinwand)
Szenen aus den Jahren 1919–1927

(Dazwischen: Karl Thomas im Anstaltskittel hin und her gehend in einer Irrenzelle.)

1919:
Vertrag von Versailles

1920:
Börsenunruhen in New York. Menschen werden irrsinnig

1921:
Faschismus in Italien

1922:
Hunger in Wien. Menschen werden irrsinnig

1923:
Inflation in Deutschland. Menschen werden irrsinnig

1924:
Lenins Tod in Rußland. Zeitungsnotiz: Heute nacht starb Frau Luise Thomas ...

1925:
 Gandhi in Indien

1926:
 Kämpfe in China. Konferenz europäischer Führer in
 Europa

1927:
 Zeigerblatt einer Uhr. Die Zeiger rücken vor. Erst lang-
 sam ... dann rascher und rascher ...

 Geräusche: Uhren

Erster Akt

Erste Szene

Kanzlei in einer Irrenanstalt

(Am Schrank Wärter.
Am vergitterten Fenster Professor Lüdin.)

WÄRTER Eine graue Hose. Ein Paar wollene Socken. Unterkleider brachten Sie nicht mit?

KARL THOMAS Ich weiß nicht.

WÄRTER Ach so. Eine schwarze Weste. Ein schwarzes Jackett. Ein Paar Halbschuhe. Hut fehlt.

PROFESSOR LÜDIN Und Geld?

WÄRTER Keins, Herr Doktor.

PROFESSOR LÜDIN Angehörige?

KARL THOMAS Mir wurde mitgeteilt, gestern, daß meine Mutter starb, vor drei Jahren.

PROFESSOR LÜDIN Werden sich schwer tun. Hart ist das Leben heute. Man muß Ellenbogen stemmen. Nicht verzweifeln. Kommt Zeit, kommt Rat.

WÄRTER Entlassungstermin 8. Mai 1927.

KARL THOMAS Nein!

PROFESSOR LÜDIN Doch, doch.

KARL THOMAS 1927?

PROFESSOR LÜDIN So acht Jährchen bei uns in Pension. Gekleidet, genährt, betreut. Es hat an nichts gefehlt. Sie können sich was einbilden: klinisch merkwürdiger Fall gewesen.

KARL THOMAS Wie ausgelöscht. Doch ... an etwas erinnere ich mich ...

PROFESSOR LÜDIN An was?

KARL THOMAS Ein Waldrand. Braun strebten Bäume in Himmel wie Pfeiler. Buchen. Der Wald flimmerte grün. Mit tausend kleinen Sonnen. Sehr zart. Ich wollte hinein, brennend gern. Es gelang mir nicht. Die Stämme buchteten böse sich nach außen und warfen mich wie einen Gummiball zurück.

PROFESSOR LÜDIN Halt! Wie einen Gummiball. Interessante Assoziation. Passen Sie mal auf, Ihre Nerven vertragen die Wahrheit. Der Wald: die Isolierzelle. Die Baumstämme: Gummiwände bester Qualität. Ja, ich erinnere mich, jedes Jahr einmal fingen Sie an zu toben. Man mußte Sie isolieren. Immer am gleichen Tag. Direkt eine klinische Spitzenleistung.

KARL THOMAS An welchem Tag?

PROFESSOR LÜDIN An dem Tag wo ... Na, Sie wissen doch.

KARL THOMAS Am Tag der Begnadigung ...

PROFESSOR LÜDIN Sie erinnern sich an alles?

KARL THOMAS Ja.

PROFESSOR LÜDIN Dafür sind Sie auch geheilt.

KARL THOMAS Minuten warten auf den Tod ... Aber zehn Tage. Zehn mal vierundzwanzig Stunden. Jede Stunde sechzig Minuten. Jede Minute sechzig Sekunden. Jede Sekunde ein Mord. Vierzehnhundertvierzigmal gemordet an einem Tag. Die Nächte! ... Ich haßte die Begnadigung. Ich haßte den Präsidenten! Nur ein Schurke konnte so handeln ...

PROFESSOR LÜDIN Sachte, sachte. Sie haben allen Grund dankbar zu sein ... Hier drinnen nimmt man Kraftworte nicht krumm. Aber draußen ... Sie hätten schon wieder ein Jahr Gefängnis zugute wegen Beleidigung des staatlichen Oberhauptes. Seien Sie vernünftig. Sie müßten die Nase plein haben.

KARL THOMAS Sie müssen so sprechen, weil Sie zu den Herren gehören.

PROFESSOR LÜDIN Beenden wir die Unterhaltung. Daß Sie im Irrenhaus waren, braucht Sie nicht zu deprimieren. Eigentlich sind die meisten Menschen reif dafür. Würde ich tausend untersuchen, müßte ich neunhundertneunundneunzig hier behalten.

KARL THOMAS Warum tun Sies nicht?

PROFESSOR LÜDIN   Der Staat hat kein Interesse daran. Im
Gegenteil. Mit einem kleinen Schuß Verrücktheit wer-
den die Menschen gute Ehemänner. Mit zwei Schuß
Verrücktheit werden sie sozial ... Keine dummen Strei-
che machen. Ich will Ihr Gutes. Gehen Sie zu einem
Ihrer Freunde.

KARL THOMAS   Wo mögen die stecken? ...

PROFESSOR LÜDIN   Sie waren doch mehrere damals in der
Zelle?

KARL THOMAS   Fünf. Nur einer wurde nicht begnadigt,
Wilhelm Kilman hieß er.

PROFESSOR LÜDIN   Der nicht begnadigt? Hahaha! Der ritt
Karriere im Galopp! Klüger als Sie.

KARL THOMAS   Ich verstehe Sie nicht.

PROFESSOR LÜDIN   Werden mich schon verstehen. Gehen
Sie nur zu ihm. Der könnte Ihnen helfen. Wenn er Ihnen
helfen will. Wenn er Sie kennen will.

KARL THOMAS   Er lebt noch?

PROFESSOR LÜDIN   Sie werden Ihr Wunder erleben. Aus-
gezeichnetes Rezept für Sie. Klinisch habe ich Sie geheilt. Von Ihrem Ideenspleen mag der Sie kurieren. Gehn
Sie zum Ministerium des Innern und fragen Sie nach
Herrn Kilman. Glück auf den Weg.

KARL THOMAS   Guten Tag, Herr Doktor. Guten Tag, Herr
Wärter ... Es duftet so stark nach Flieder hier ... Ach
ja, der Frühling. Nicht wahr, draußen vorm Fenster
wachsen wirklich Buchen ... keine Gummiwände ...
(Karl Thomas hinaus.)

PROFESSOR LÜDIN   Schlechte Rasse.

(Dunkel.)

Filmisches Zwischenspiel

Großstadt 1927

Straßenbahnen

Autos

Untergrundbahnen

Aeroplane

Zweite Szene

(Sichtbar zwei Zimmer: Vorzimmer des Ministers, Arbeitszimmer des Ministers.
Man sieht nach Aufgehen des Vorhangs beide Zimmer.
Das Zimmer, in dem nicht gesprochen wird, bleibt dunkel.)

Im Arbeitszimmer

WILHELM KILMAN   Ich ließ Sie rufen.
EVA BERG   Bitte.

Im Vorzimmer

SOHN DES BANKIERS   Wird er dich empfangen? Er hat dich nicht rufen lassen.
BANKIER   Mich nicht empfangen! Er soll es wagen.
SOHN DES BANKIERS   Wir brauchen die Kredite bis Ultimo.
BANKIER   Warum zweifelst du?
SOHN DES BANKIERS   Weil er beide Male die Chance abwies.
BANKIER   Ich ging zu plump vor.

Im Arbeitszimmer

WILHELM KILMAN   Sie gehören dem Vorstand des Verbandes weiblicher Angestellter an?
EVA BERG   Ja.
WILHELM KILMAN   Sie arbeiten als Sekretärin im Finanzamt?
EVA BERG   Ja.
WILHELM KILMAN   Seit zwei Monaten spielt Ihr Name in den Polizeiberichten keine unbedenkliche Rolle.
EVA BERG   Ich verstehe nicht.
WILHELM KILMAN   Sie hetzen die Arbeiterinnen in den Chemischen Werken auf, Überstunden zu verweigern?

EVA BERG   Ich übe die Rechte aus, die die Verfassung mir gewährt.

WILHELM KILMAN   Die Verfassung ist für ruhige Zeiten gedacht.

EVA BERG   Leben wir nicht in ihnen?

WILHELM KILMAN   Der Staat kennt selten ruhige Zeiten.

Im Vorzimmer

BANKIER   Vor der Tarifkündigung muß die Schose geregelt sein. Zwei Überstunden, entweder oder.

SOHN DES BANKIERS   Die Gewerkschaften haben beschlossen, an achtstündiger Arbeitszeit festzuhalten.

BANKIER   Was dem Staat recht ist, wird der Schwerindustrie billig sein.

SOHN DES BANKIERS   Man müßte eine halbe Million Arbeiter aussperren.

BANKIER   Und wenn schon. Man wird zwei Fliegen mit einem Schlag klappen. Überstunden und Lohnsenkung.

Im Arbeitszimmer

EVA BERG   Ich bin Kriegsgegnerin. Hätte ich Macht, die Werke stünden still. Was machen sie? Giftgas!

WILHELM KILMAN   Ihre persönliche Meinung, die mich nicht interessiert. Auch ich liebe den Krieg nicht. Sie kennen dieses Flugblatt? Sie sind die Verfasserin?

EVA BERG   Ja.

WILHELM KILMAN   Sie verletzen Ihre Pflicht als staatliche Beamtin.

EVA BERG   Es gab eine Zeit, wo Sie Gleiches taten.

WILHELM KILMAN   Wir führen ein dienstliches Gespräch, Fräulein.

EVA BERG   In der Vergangenheit haben Sie ...

WILHELM KILMAN   Halten Sie sich an die Gegenwart. Ich habe für Ordnung zu sorgen ... Liebes Fräulein Berg, jetzt seien Sie vernünftig. Wollen Sie sich den Dickkopf

einrennen? Der Staat hat immer noch einen härteren
Schädel. Ich will von Ihnen nichts Böses. Wir brauchen
die Überstunden im Moment. Ihnen fehlt das praktische
Wissen. Es wäre mir verdammt peinlich, gegen Sie vor-
zugehen. Ich kenne Sie doch von früher. Aber ich
müßte es. Wirklich. Seien Sie vernünftig. Versprechen
Sie mir das . . .

EVA BERG Ich verspreche nichts.

Im Vorzimmer

PICKEL (der von Beginn der Szene an unruhig hin und her
ging, bleibt vor Bankier stehen). Verzeihen der Herr . . .
Aus Holzhausen stamme ich nämlich. Vielleicht kennen
der Herr Holzhausen? Zwar mit dem Bau der Eisenbahn
soll erst im Oktober begonnen werden. Jedoch mir hat
die Postkutsche auch genügt. Es gibt ein Sprichwort bei
uns . . . (Bankier wendet sich ab.)
PICKEL Ich glaube zwar, daß die Eisenbahn . . .
(Da niemand auf ihn hört, bricht er ab, geht hin und
her.)

Im Arbeitszimmer

WILHELM KILMAN Der Staat muß sich schützen. Ich war
nicht verpflichtet, Sie rufen zu lassen. Ich wollte Ihnen
meinen Rat geben. Man soll nicht sagen, daß . . . Sie
allein tragen die Verantwortung. Ich warne Sie. (Geste.)
(Eva Berg geht.)
WILHELM KILMAN (am Telephon). Chemische Werke . . . Herr
Direktor? . . . Kilman . . . So? Werkversammlung um 12
Uhr . . . Telephonieren Sie mir das Ergebnis . . . Danke
. . . (Hängt ein.)

(Durchs

Vorzimmer

geht der Kriegsminister.)

KRIEGSMINISTER Ah, guten Tag, Herr Generaldirektor.
Auch hier?

BANKIER Ja, leider, das elende Warten ... Gestatten, Herr
Kriegsminister, daß ich meinen Sohn vorstelle ... Exzellenz von Wandsring.

KRIEGSMINISTER Freut mich ... Heikle Lage.

PICKEL *(wendet sich an den Kriegsminister).* Ich meine,
Herr General, zwar der Feind ...
*(Da der Kriegsminister ihn nicht beachtet, bricht er ab,
geht in die Ecke, kramt aus seiner Tasche einen Orden,
heftet ihn mühselig und hastig an.)*

BANKIER Sie werdens schon schaffen, Herr General.

KRIEGSMINISTER Gewiß. Nur ... es macht mir keinen
Spaß, auf Leute zu schießen, denen man erst die Pauken-
schlegel in die Hand drückt, und die man dann hindern
will, zu trommeln. Diese liberalen Utopien von Demokratie und Volksfreiheit brocken uns das ein. Autorität
brauchen wir. Destillierte Erfahrung von Jahrtausenden.
Die widerlegt man nicht mit Schlagworten.

BANKIER Immerhin, die Demokratie, allerdings mit Maß,
brauchte einerseits nicht unbedingt zur Pöbelherrschaft
zu führen, andererseits könnte sie ein Ventil sein ...

KRIEGSMINISTER Demokratie ... Mumpitz. Das Volk regiert? Wo denn? Dann lieber ehrliche Diktatur. Machen
wir uns nichts weis, Herr Generaldirektor ... Sehen wir
uns morgen im Klub?

BANKIER Sehr gerne.

*(Kriegsminister geht.
Graf Lande geht ihm bis zur Tür nach.)*

GRAF LANDE Exzellenz ...

KRIEGSMINISTER Ah, Herr Graf. Bestellt?

GRAF LANDE Jawohl, Exzellenz.

KRIEGSMINISTER Es geht Ihnen gut?

GRAF LANDE Die Frontbünde warten.

KRIEGSMINISTER Nicht hitzköpfig vorgehen, Graf. Keine
Torheiten. Die Zeiten des Losschlagens sind vorüber. Was

wir für unser Vaterland erreichen wollen, können wir
legal erreichen.

GRAF LANDE Exzellenz, wir rechnen auf Sie.

KRIEGSMINISTER Herr Graf, bei aller Sympathie ... ich
warne.

(Kriegsminister geht.)

PICKEL *(in militärischer Haltung)*. Zu Befehl, Herr General.

(Kriegsminister, ohne ihn zu beachten, hinaus.)

BANKIER Wie lange wird sich Kilman halten?

SOHN Warum machst du nicht durch Wandsring das Ge-
schäft?

BANKIER Kilman regiert heute. Sicher ist sicher.

SOHN Passé. Deinen Kilman kannst du in die Konkursmasse der Demokratie werfen. Riech mal die Luft in der
Industrie. Ich würde dir raten, auf nationale Diktatur
zu setzen.

PICKEL *(wendet sich an Graf Lande)*. Könnte mir der Herr
sagen, wie spät es ist?

GRAF LANDE Zwölf Uhr vierzehn.

PICKEL Die Uhren in der Stadt gehen immer vor. Ich
hatte mir gedacht, eine Audienz beim Minister müßte
Punkt zwölf ... Zwar die Uhren auf dem Lande gehen
immer nach, infolgedessen ...

*(Da Graf Lande ihn nicht beachtet, bricht er ab, geht
hin und her.)*

GRAF LANDE Wie sprechen Sie Kilman an?

BARON FRIEDRICH Exzellenz natürlich.

GRAF LANDE Daß die Brüder Exzellenz goutieren?

BARON FRIEDRICH Alte Kiste, mein Lieber. Ziehen Sie
einem Menschen Uniform an, und er schmachtet nach
Gefreitenknöpfen.

GRAF LANDE Antichambrieren läßt er uns. Vor zehn Jahren hätte ich derlei nur in Wildleder gepökelt die Hand
gegeben.

BARON FRIEDRICH Erhitzen Sie sich nicht. Ich kann mit
anderen Finessen dienen. Vor acht Jahren hätt ich ihn
beinah an die Mauer gestellt.

GRAF LANDE Fabelhaft interessant. Sie waren dabei damals?

BARON FRIEDRICH Nicht zu knapp. Reden wir nicht darüber.

GRAF LANDE Daß er Sie trotzdem ins Ministerium berief. Immer in seiner Nähe. Sie müßten ihm auf die Nerven fallen.

BARON FRIEDRICH Fürchtete ich sogar. Als er zum ersten Male ins Ministerium kam, große Cour in Kanzleien, machte ich mich mausig, wozu olle Kamellen aufwärmen. Man muß die Wirtschaft mitmachen, um parat zu sein, wenn wieder andere Zeiten kommen. Er, scharfer Blick. Von dem Tag an eine Beförderung nach der anderen, falle schon unliebsam auf. Aber reden tut er nie.

GRAF LANDE Also Art Schweigegeld?

BARON FRIEDRICH Weiß nicht. Sprechen wir vom Wetter. Ich habe den Kerl in Verdacht, über erstklassige Spitzel zu verfügen.

GRAF LANDE Alles haben die Brüder uns abgeguckt.

PICKEL *(wendet sich an Baron Friedrich).* Zwar mein Nachbar in Holzhausen nämlich meinte ... Pickel, meinte er, für die Audienz beim Minister mußt du dir weiße Handschuhe kaufen. Das war im alten Staat so, das bleibt auch im neuen so. Das verlangt die Zeremonienvorschrift. Ich jedoch ... ich habe gedacht, wenn die Monarchie weiße Handschuhe verlangte, müssen wir in der Republik schwarze Handschuhe anziehen ... Nämlich gerade! ... Weil wir freie Männer jetzt sind ...
(Da Baron Friedrich ihn nicht beachtet, bricht er ab, geht hin und her.)

BARON FRIEDRICH Tüchtiger Kerl, muß man ihm lassen.

GRAF LANDE Manieren?

BARON FRIEDRICH Ob er wie Napoleon bei Schauspielern Unterricht nahm, weiß ich nicht. Jedenfalls Gentleman vom Scheitel bis zur Sohle. Frühritt am Morgen in full Dress, tadellos, sage ich Ihnen.

GRAF LANDE Und durch welche Ritzen stinkt der Prolet?

BARON FRIEDRICH   Durch alle. Sie müssen nur auf das bißchen zu viel achten bei jedem Wort, jeder Geste, jedem
Schritt. Die Leute glauben, wenn sie bei erstklassigen
Schneidern sich Fracks anmessen lassen, seis getan. Sie
merken nicht, daß erstklassige Schneider nur was taugen
durch Kunden erster Klasse.

GRAF LANDE   Jedenfalls würde ich bei des Teufels Großmutter dinieren, hülfe sie mir aus dem Provinznest in
die Hauptstadt.

BARON FRIEDRICH   Die Großmutter, bei der Sie dinieren
werden, führt eine Küche – nicht zu verachten.

GRAF LANDE   Hat ja lange genug in herrschaftlichen Häu-
sern gedient.

Im Arbeitszimmer

DIENER   Ihre Exzellenz und Fräulein Tochter möchten Exzellenz sprechen. Sie warten im Salon.

WILHELM KILMAN   Ich bitte, sich zehn Minuten zu gedul-
den.
(Diener ab.
Telephon klingelt.)

WILHELM KILMAN   Hallo. Ach Sie, Herr Geheimrat. Ja, ich
bins ... Tut nichts ... Aber nein, stören mich wirklich
nicht ... Die Baisse der Chemischen Werke ... Kulissen-
zauber ... Gemanaged, natürlich gemanaged ... Dahinter stecken ganz Schlaue. Staatskredite haben wir
gestern bewilligt ... Wie? Einstimmig ... Dreiprozentige
... Immer zu Ihren Diensten ... Auf Wiedersehen, Herr
Geheimrat ...
(Diener herein.)

DIENER   Die Damen meinen ...

WILHELM KILMAN   Sie sollen warten, ich habe zu arbeiten.

Im Vorzimmer

BARON FRIEDRICH   Bitte, sagte das Töchterchen und ent-
blößte das Knie.

GRAF LANDE   Und die Mutter?

BARON FRIEDRICH   Meinte, das sei so feine Sitte und errötete stumm.

GRAF LANDE   Die Hauptstadt ist die Strapazen einer Jungfernschaft wert. Wie lange das dauert. Das Regieren scheint ihm nicht leicht zu fallen.
(Karl Thomas herein. Setzt sich in eine Ecke.)

Im Arbeitszimmer

WILHELM KILMAN *(klingelt).*
(Diener herein.)

DIENER   Exzellenz ...?

WILHELM KILMAN   Herr Baron Friedrich und Herr Graf Lande ...
(Diener verbeugt sich. Geht hinaus.)

Vorzimmer

DIENER *(zu Graf Lande und Baron Friedrich).* Exzellenz lassen bitten ...

BANKIER   Entschuldigen Sie, meine Herren. Geben Sie Exzellenz diese Karte. Nur eine Minute.
(Diener geht ins Arbeitszimmer.
Bankier und Sohn folgen ihm.)

Im Arbeitszimmer

WILHELM KILMAN   Guten Tag, Herr Generaldirektor. Guten Tag, Herr Doktor. Ich bin heute wirklich außerstande ...

BANKIER   Dann treffen wir uns doch lieber in Ruhe.

WILHELM KILMAN   Bitte.

BANKIER   Abends im Grand Hotel.

WILHELM KILMAN   Abgemacht.
(Bankier und Sohn gehen.)

DIENER *(zu Graf Lande und Baron Friedrich).* Exzellenz lassen bitten.
(Öffnet die Tür zum Arbeitszimmer. Graf Lande und

Baron Friedrich hinein. Diener will durch die seitliche Tür hinaus.)

KARL THOMAS   Entschuldigen.

DIENER   Exzellenz sind beschäftigt. Ich weiß nicht, ob Exzellenz heute noch jemand empfangen.

KARL THOMAS   Ich will nicht den Minister sprechen. Ich will zu Herrn Kilman.

DIENER   Suchen Sie sich andere für dumme Späße.

KARL THOMAS   Genosse, Späße ...

DIENER   Bin nicht Ihr Genosse.

KARL THOMAS   Herr Kilman arbeitet wohl als Sekretär beim Minister? Der Portier wies mich ins Vorzimmer des Ministers, als ich nach Herrn Kilman fragte.

DIENER   Kommen Sie vom Mond? Wollen Sie mir einreden, Sie wüßten nicht, daß Seine Exzellenz Kilman heißen? Überhaupt machen Sie einen sehr verdächtigen Eindruck ... Ich rufe den Herrn Kriminaloberkommissar.

KARL THOMAS   Meinen Sie nicht einen anderen Kilman? Es gibt doch so viele Kilman ...

DIENER   Was wollen Sie?

KARL THOMAS   Ich möchte Herrn Wilhelm Kilman sprechen. Kilman. K - I - L - M - A - N.

DIENER   So schreiben sich seine Exzellenz ... Individuum. *(Diener will hinausgehen.)*

KARL THOMAS   Kilman Minister? ... Nein, bleiben Sie. Ich kenne nämlich den Minister. Ich bin sein Freund. Ja, wirklich, sein Freund. Wir waren vor acht Jahren ... So bleiben Sie doch ... Haben Sie ein Stück Papier? ... Bleistift? Ich schreibe dem Minister meinen Namen, er wird mich gleich empfangen.

DIENER *(unschlüssig.)*

KARL THOMAS   So gehen Sie doch.

DIENER   Man soll sich auskennen bei den Zeiten.
*(Gibt Karl Thomas Papier und Feder.
Geht hinaus. Karl Thomas schreibt.)*

PICKEL   So so ... ein Freund des Ministers ... Obwohl nämlich ich ... Pickel ist mein Name ... Ei dieser

Grobian von Diener ... Zwar man sollte gegen die alten Hofschranzen strenger vorgehen, jedoch wir Republikaner lassen uns alles gefallen ... Ich hingegen habe den Scherz mit Ihrem Freund, dem Minister, gleich verstanden ... Man darf sich wohl noch ein Späßchen mit dem Minister erlauben ... Ich meine, es müßte etwas geschehen ... In der hohen Verwaltung zum Beispiel dieser Diener ... Nämlich da haperts in der Republik. ...

Im Arbeitszimmer

WILHELM KILMAN Man muß die Völker zu nehmen wissen, meine Herren.

BARON FRIEDRICH Exzellenz meinen nicht, daß Amerika kein Interesse am Krieg ...

GRAF LANDE Bedenken Exzellenz Frankreichs friedliche Haltung ...

WILHELM KILMAN Weil die Minister von Völkerfriede schwatzen und mit Menschheitsideen paradieren? Aber meine Herren. Achten Sie in jeder Ministerrede darauf, wie oft »Völkerfriede« und »Menschheitsidee« sich blähen, garantiere, daß ebensoviel Giftgasfabriken und Flugzeuggeschwader im Geheimetat vorgemerkt sind. Ministerreden ... meine Herren ...

BARON FRIEDRICH Man meinte, Exzellenz zählten Machiavell zu Ihren Lieblingsautoren.

WILHELM KILMAN Was brauchen wir Machiavell ... Der gesunde Menschenverstand.

(Diener herein.)

DIENER Ob die Damen jetzt ...

WILHELM KILMAN Ich lasse bitten.

(Herein Frau und Tochter.)

WILHELM KILMAN Du kennst ja Herrn Baron ...

BARON FRIEDRICH Exzellenz ... Gnädiges Fräulein.

FRAU KILMAN Aber nennen Sie mich doch nicht immer Exzellenz. Sie wissen, ich mag das nicht.

WILHELM KILMAN   Herr Graf Lande. Meine Frau. Meine Tochter.

GRAF LANDE   Exzellenz ... Gnädiges Fräulein.

BARON FRIEDRICH   Wir stören wohl ...

FRAU KILMAN   Nein. Zufällig schrieb ich Ihnen. Ich lud Sie ein für Sonntag.

GRAF LANDE   Küß die Hand.

FRAU KILMAN   Vielleicht bringen Sie Ihren Freund mit.

BARON FRIEDRICH   Zuviel Ehre, Exzellenz.

LOTTE KILMAN *(leise zum Baron Friedrich)*. Du hast mich versetzt gestern.

BARON FRIEDRICH *(leise)*. Aber Liebling.

LOTTE KILMAN   Dein Freund gefällt mir.

BARON FRIEDRICH   Da gratulier ich ihm.

LOTTE KILMAN   Ich las deinen Personalakt.

BARON FRIEDRICH   Wann treffen wir uns?

WILHELM KILMAN   Ja, Herr Graf, man dürfte nur noch dementieren. Verleumdungen von links – lese ich nicht. Verleumdungen von rechts – Sie besitzen eine meiner Antworten. Ich kenne die Qualitäten der Männer des alten Regimes. Man ist nur ein Mensch, hat Schwächen, aber Gerechtigkeitsmangel werden mir die extremsten Konservativen nicht vorwerfen.

GRAF LANDE   Aber Exzellenz ... Man schätzt Sie in nationalen Kreisen.

WILHELM KILMAN   Ich schreibe heute Ihrem Landrat. Sie treten Ihren Dienst am Ministerium in vier Wochen an.

Im Vorzimmer

KARL THOMAS *(hin und her laufend)*. Minister ... Minister ...

Im Arbeitszimmer

(verabschiedet der Minister Graf Lande und Baron Friedrich.)

Im Vorzimmer

BARON FRIEDRICH Was hab ich gesagt?

GRAF LANDE Die Brüder ... Die Brüder ...
(Beide hinaus.)

KARL THOMAS Das Gesicht hab ich gesehen. Wo?
(Herein Diener.)

KARL THOMAS Hier der Brief ist für den Minister.
(Diener nimmt den Brief und trägt ihn ins Arbeitszimmer.)

DIENER Ein Mann, Exzellenz.

WILHELM KILMAN Ich wünsche nicht ...
(Karl Thomas klopft an die Tür, ohne Antwort abzuwarten herein.)

KARL THOMAS Wilhelm! Wilhelm!

WILHELM KILMAN Wer sind Sie?

KARL THOMAS Du kennst mich nicht mehr. Die Jahre ...
Acht Jahre ...

WILHELM KILMAN *(zum Diener).* Sie können gehen.
(Diener hinaus.)

KARL THOMAS Du lebst noch. Erklär mir ... Wir wurden
begnadigt. Du als einziger nicht ...

WILHELM KILMAN Zufall ... glücklicher Zufall.

KARL THOMAS Acht Jahre ... vermauerter als Grab. Ich
hab den Doktoren erzählt, an nichts erinnerte ich mich.
O Wilhelm, oft sah ich mit wachem Gesicht ... Oft ...
Oft ... Sah dich tot ... In meine Augen grub ich die
Nägel, bis Blut spritzte ... Die Wärter glaubten, mich
beutelten Anfälle.

WILHELM KILMAN Ja ... damals ... ich erinnere mich
nicht gerne.

KARL THOMAS Immer hockte der Tod unter uns. Einen
hetzte er gegen den andern.

WILHELM KILMAN Was für Kinder wir waren.

KARL THOMAS Stunden wie jene im Gefängnis kitten mit
Blut. Darum kam ich zu dir, als ich hörte, du lebst. Du
kannst auf mich zählen ...

FRAU KILMAN Wilhelm, wir müssen gehen.

KARL THOMAS Frau Kilman. Guten Tag, Frau Kilman. Ich hab Sie ja gar nicht bemerkt. Sie sind die Tochter? So groß sind Sie geworden?

LOTTE KILMAN Jeder wird einmal groß, mein Vater ist auch inzwischen Minister geworden.

KARL THOMAS ... Erinnern Sie sich, wie Sie zum letzten Mal Ihren Mann besuchen durften in der Armesünderzelle? Was haben Sie mir leid getan. Rausschleppen mußte man Sie. Und die Tochter stand neben der Tür, Hände vorm Gesicht und sagte nur immer: Nein, nein, nein.

FRAU KILMAN Ja, ich erinnere mich. Es war eine schwere Zeit. Nicht, Wilhelm? Es geht Ihnen gut jetzt? Das ist schön. Besuchen Sie uns mal.

KARL THOMAS Danke schön, Frau Kilman.

(Frau Kilman und Lotte gehen.)

KARL THOMAS Muß das sein? Daß deine Tochter die vornehme Dame markiert?

WILHELM KILMAN Wie?

KARL THOMAS Dein Ministeramt ist doch Kniff, nicht wahr? Immerhin gewagter Kniff. Früher hätte man die Taktik nicht zugelassen. Ist der Apparat bald in unseren Händen?

WILHELM KILMAN Du sprichst, als ob wir noch Revolution hätten?

KARL THOMAS Wie?

WILHELM KILMAN Seitdem vergingen zehn Jahre. Wo wir schnurgerade Wege sahen, kam die unerbittliche Wirklichkeit und bog sie krumm. Es geht dennoch vorwärts.

KARL THOMAS So nimmst du dein Amt ernst?

WILHELM KILMAN Freilich.

KARL THOMAS Und das Volk?

WILHELM KILMAN Ich diene ihm.

KARL THOMAS Bewiesest du nicht früher, daß, wer in solchem Staat Ministersessel drückt, als Kollegen die härtesten Feinde, versagen wird, versagen muß, gleichgültig, ob ihn gute Absichten treiben oder nicht?

WILHELM KILMAN Das Leben spult sich nicht in Theorien
ab. Man lernt aus seinen Erfahrungen.

KARL THOMAS Daß sie dich an die Mauer gestellt hätten!

WILHELM KILMAN Immer noch der hitzige Träumer. Ich
nehme dir deine Worte nicht übel. Wir wollen demo-
kratisch regieren. Was ist denn Demokratie? Der Wille
des ganzen Volkes. Als Minister vertrete ich nicht eine
Partei, sondern den Staat. Wenn man die Verantwortung
hat, lieber Freund, sehen die Dinge unten anders aus.
Macht gibt Verantwortung.

KARL THOMAS Macht! Was nützt es, daß du dir einbildest,
Macht zu besitzen, wenn das Volk keine hat? Fünf Tage
hab ich mich umgesehn. Hat sich was geändert? Du sitzest
oben und regulierst den Schwindel. Siehst du nicht ein, daß
du die Idee verließest, daß du gegen das Volk regierst?

WILHELM KILMAN Es gehört mitunter Mut dazu, gegen das
Volk zu regieren. Mehr als auf die Barrikaden zu gehn.
(Telephon klingelt.)

WILHELM KILMAN Entschuldige ... Kilman ... Einstimmi-
ger Beschluß, Überstunden zu verweigern ... Danke,
Herr Direktor ... Trägt das Flugblatt Namen? So ...
Notieren Sie: Wer um fünf Uhr die Fabrik verläßt, ist
fristlos entlassen ... Gut, werden die Fabriken schließen
für einige Tage. Verhandeln Sie mit Privaten. Der Auf-
trag der Türkei muß ausgeführt werden ... Auf Wiedersehen, Herr Direktor ... *(Hängt ein. Telephoniert wieder.)* Setzen Sie sich mit Polizei in Verbindung ... Akten
Eva Berg ... Beschleunigen ... Danke. *(Hängt ein.)*

KARL THOMAS Welch ein Mut! Du beherrschst die Metho-
den.

WILHELM KILMAN Wer hier oben arbeitet, muß dafür sorgen, daß die komplizierte Maschine nicht durch plumpe
Hände ins Stocken gerät.

KARL THOMAS Kämpfen die Frauen nicht für deine alten
Ideen?

WILHELM KILMAN Darf ich dulden, daß die Arbeiterinnen
irgendeiner Fabrik den Mechanismus des Staates stören?

KARL THOMAS   Deine Autorität litte wohl?

WILHELM KILMAN   Soll ich mich blamieren? Soll ich mich
unfähiger zeigen als die alten Minister? Es ist gar nicht
so leicht oft ... Versagt man einmal, dann ... Es gibt
Stunden ... Ihr stellt euch das so vor ... Ach, was wißt
ihr? ...

KARL THOMAS   Was wir wissen? Ihr verhelft der Reaktion
in den Sattel.

WILHELM KILMAN   Unsinn. In der Demokratie habe ich die
Rechte der Arbeitgeber ebenso zu achten wie die Rechte
der Arbeitnehmer. Wir haben eben noch nicht den Zu-
kunftsstaat.

KARL THOMAS   Aber die andern haben Presse, Geld, Waffen. Und die Arbeiter? Leere Fäuste.

WILHELM KILMAN   Ach, ihr seht nur immer den bewaffne-
ten Kampf, hauen, stechen, schießen. Auf die Barrikaden! Auf die Barrikaden, du Arbeitervolk! Wir lehnen
den Kampf roher Gewalt ab. Wir haben unermüdlich gepredigt, daß wir mit sittlichen, mit geistigen Waffen
siegen wollen. Gewalt ist immer reaktionär.

KARL THOMAS   Ist das die Meinung der Masse? Nach deren
Meinung fragst du wohl nicht?

WILHELM KILMAN   Was ist die Masse? Hat sie positive
Arbeit leisten können damals? Nichts! Sprüche klopfen
und kaputtschlagen. Ins Chaos wären wir hineinge-
schliddert. Jeder Abenteurer bekam einen Kommando-
posten. Leute, die ihr Leben lang die Arbeiter nur aus
Kaffeehausdiskussionen kannten. Seien wir doch ehrlich.
Wir haben die Revolution gerettet ... Die Masse ist unfähig und wird unfähig bleiben vorerst. Jedes Fachwissen fehlt ihr. Wie vermöchte der Arbeiter ohne Schulung
in unserer Epoche die Funktion meinetwegen eines Syndikatsleiters zu übernehmen? Oder eines Direktors der
Elektrizitätswerke? Später ... in Jahrzehnten ... in Jahrhunderten ... durch Erziehung ... durch Entwicklung
... wird es sich ändern. Wir müssen heute regieren.

KARL THOMAS   Und mit dir saß ich ...

WILHELM KILMAN   Du hältst mich wohl für einen »Verräter«?

KARL THOMAS   Ja.

WILHELM KILMAN   Ach, lieber Freund, an die Worte bin ich gewöhnt. Für euch ist jeder Bürger ein Schurke, ein Blutsauger, ein Satan, was weiß ich. Wenn ihr nur begriffet, was die bürgerliche Welt geleistet hat und noch leistet.

KARL THOMAS   Halt! Du verdrehst meine Worte. Daß die bürgerliche Welt Mächtiges leistete, hab ich nie bestritten. Daß das Bürgertum rabenschwarz und das Volk schneeweiß ist, hab ich nie behauptet. Aber was ist aus der Welt geworden? Unsere Idee ist die größere. Wenn wir die durchsetzen, leisten wir mehr.

WILHELM KILMAN   Es kommt auf die Taktik an, mein Lieber. Mit deiner Taktik regierte bald die finstere Reaktion.

KARL THOMAS   Ich seh keinen Unterschied.

WILHELM KILMAN   Ihr habt wohl die Striemen vergessen, die euch den Rücken bleuten? Wie Kinder seid ihr. Den ganzen Baum wollen, wenn man einen Apfel haben kann.

KARL THOMAS   Auf wen stützest du dich? Auf die alte Bürokratie? Und wenn ich dir glaubte, deine Absichten seien ehrlich, was bist du in Wirklichkeit? Ein ohnmächtiger Popanz, ein Spielball!

WILHELM KILMAN   Was willst du eigentlich? Sieh dir den inneren Betrieb an hier. Wie das klappt. Wie das am Schnürchen läuft. Jeder versteht sein Fach.

KARL THOMAS   Darauf bist du stolz?

WILHELM KILMAN   Jawohl, ich bin stolz auf meine Beamten.

KARL THOMAS   Wir sprechen verschiedene Sprachen ... Du nanntest einen Namen vorhin am Telephon.

WILHELM KILMAN   Ich sprach über dienstliche Belange.

KARL THOMAS   Eva Berg.

WILHELM KILMAN   Ach die ... Sie arbeitet beim Finanz-

amt. Macht mir schwer zu schaffen. Was ist aus dem
Püppchen geworden.

KARL THOMAS   Fünfundzwanzig Jahre muß sie alt sein
heute.

WILHELM KILMAN   Ich wollte sie schonen. Aber sie rennt
ins Unglück ... Ich muß dich verabschieden. Hier,
nimm. *(Will Karl Thomas Geld geben; der weist es zu-*
rück.) Anstellen kann ich dich leider nicht. Geh zur
Gewerkschaft. Vielleicht findest du dort alte Bekannte.
Ich vermute es. Man ist so beschäftigt. Man verliert den
Kontakt. Laß dirs gut gehen. Mach keine Dummheiten.
Im Ziel sind wir uns ja einig. Nur die Wege ...
(Schiebt Karl Thomas mählich ins Vorzimmer.)

WILHELM KILMAN   *(bleibt Sekunden stehen. Geste).*

Im Vorzimmer

(Karl Thomas starrt stumm.)

PICKEL   *(zum Diener).* Komm ich jetzt dran, Herr Sekretär?

DIENER   Sind Sie angemeldet?

PICKEL   Zweieinhalb Tage fuhr ich mit der Eisenbahn, Herr
Sekretär. Zwar man erlebt da sein reines Wunder. Kennen Sie Holzhausen?

DIENER   Weiß der Herr Minister?

PICKEL   Es ist doch wegen der Eisenbahn in Holzhausen.

DIENER   Ich werde fragen.
(Diener ins Arbeitszimmer.)

PICKEL   Der Herr Minister ist wohl ein sehr strenger
Mann?
(Karl Thomas antwortet nicht.)

PICKEL   Wenn der liebe Gott einen zum Minister gemacht
hat, stelle ich mir meinerseits das so vor ...
(Da Karl Thomas nicht antwortet, bricht Pickel ab, geht
hin und her.)

Im Arbeitszimmer

WILHELM KILMAN Na meinetwegen. Führen Sie ihn herein.
(Diener öffnet die Tür zum Vorzimmer.)
DIENER Herr Pickel.
(Herein Pickel.)
PICKEL Habe die Ehre, Herr Minister. Ich hab so viel auf
dem Herzen, Herr Minister. Zwar sind Sie sicher sehr
beschäftigt. Jedoch ich will Ihnen nicht Ihre Zeit stehlen,
Herr Minister. Pickel ist mein Name. Gebürtig in Holzhausen, Bezirk Waldwinkel. Es ist nur wegen der Eisenbahn, die Sie nach Holzhausen legen wollen, Herr Minister. Sie wissen doch, im Oktober ... Zwar es gibt ein
Sprichwort bei uns: Hannes will einer fetten Gans den
Sterz einschmieren. Jedoch so eine fette Gans war Holzhausen. Die Dampfer fahren vorbei, jede Woche dreimal, die Postkutsche kommt hin, jeden Tag, den der
liebe Gott geschaffen hat. Mir meinerseits hätte ... Zwar
ich will mir gewiß nicht anmaßen ... Der Herr Minister
wird das besser wissen ... Jedoch das ist sicher, das hat
der Herr Minister nicht gewußt, wenn die Eisenbahn
schon über mein Grundstück fahren soll, dann ... Ich
halt Sie auch nicht auf, Herr Minister?
WILHELM KILMAN Also, lieber Mann, was soll nun die
Eisenbahn?
PICKEL Ich hab meinen Nachbarn gleich gesagt, wenn ich
dem Herrn Minister vis-à-vis stehe, dann wird er ...
Zwar er hat was gemeint von weißen Handschuhen und
so Zeug ... Jedoch ich hab mir immer gedacht, ein Minister, was muß der alles kennen! Bald soviel wie der
liebe Gott. Ob die Ernte gut wird, ob es Krieg gibt, ob
die Eisenbahn über das Grundstück fahren soll oder
über jenes ... Ja, so ein Minister ... Ach, ich komm
nicht nur wegen der Eisenbahn ... Zwar die Eisenbahn
hat ihre Wichtigkeit ... Jedoch das andere hat auch seine
Wichtigkeit. Da sitz ich nun in Holzhausen ... Die
Zeitungen, man wird nicht klug aus ihnen ... Ich hab mir

gesagt, wenn du erst dem Herrn Minister vis-à-vis stehst
... Wenns nicht gar zu viel verlangt ist, wie stellen Sie
sich vor, wie das alles weitergeht? ... Wenn nun die
Eisenbahn durch Holzhausen fährt, und man geradewegs
bis nach Indien fahren kann? ... Und in China sollen
die Gelben sich mucksen ... Und es soll Maschinen geben, mit denen kann man bis nach Amerika schießen ...
Und die Neger in Afrika machen Sprüch und wollen die
Mission rauswerfen ... Und das Geld will die Regierung
abschaffen, sagt man ... Zwar da oben sitzt der Herr
Minister, und mit all dem soll er fertig werden ... Jedoch wirst ihn mal selbst fragen. Herr Minister, was
wird nun aus der Welt werden?

WILHELM KILMAN Was aus der Welt werden wird?

PICKEL Was Sie aus ihr machen wollen, meine ich, Herr
Minister?

WILHELM KILMAN Na, trinken wir zuerst einen Kognak.
Rauchen Sie?

PICKEL Zu gütig, Herr Minister. Zwar ich hab mir gleich
gesagt, nur dem Minister vis-à-vis mußt du stehen ...

WILHELM KILMAN Die Welt ... Die Welt ... Hm ... es
ist gar nicht so einfach darauf zu antworten. Trinken
Sie doch.

PICKEL Das hab ich meinem Nachbarn auch immer gesagt. Zwar mein Nachbar, ich meine den, der die Ge-
meindewiese gepachtet hat, erst sollte sie zweihundert
Mark kosten, jedoch er ist mit dem Bürgermeister verwandt, und wenn einer verwandt ist ... *(Es klopft.)*

DIENER Ich möchte Exzellenz erinnern, Exzellenz müssen
um zwei Uhr ...

WILHELM KILMAN Ja, ich weiß ... Also, lieber Herr Pickel,
fahren Sie beruhigt nach Holzhausen zurück. Grüßen Sie
mir Holzhausen ... Trinken Sie doch Ihren Kognak.

PICKEL Ja, Herr Minister. Und die Eisenbahn ... Zwar
wenn die schon über mein Grundstück fahren soll,
dann ...

WILHELM KILMAN *(schiebt Pickel mählich ins Vorzimmer,*

ohne daß Pickel dazu kommt, seinen Kognak zu trinken). Es wird niemand ein Unrecht geschehen.

Im Vorzimmer

PICKEL *(hinausgehend).* Ich werds ihnen schon besorgen in Holzhausen.
DIENER *(zu Karl Thomas, der gleichsam erstarrt steht).* Sie müssen gehen, es wird geschlossen.

(Vorhang.)

Filmisches Zwischenbild

Frauen im Beruf

Frauen als Schreibmaschinistinnen

Frauen als Chauffeure

Frauen als Lokomotivführerinnen

Frauen als Polizistinnen

Zweiter Akt

Erste Szene

Zimmer bei Eva Berg

(Eva Berg springt aus dem Bett, beginnt sich hastig anzukleiden.)

KARL THOMAS *(im Bett)*. Wohin willst du?

EVA BERG   Arbeiten, lieber Junge.

KARL THOMAS   Wie spät ist es?

EVA BERG   Halb sieben.

KARL THOMAS   Bleib noch bis acht liegen. Euer Bürodienst beginnt doch erst um neun Uhr.

EVA BERG   Ich muß vorher zur Gewerkschaft. In einer Woche ist Wahl. Flugblätter für die Frauen haben sie gedruckt, scheußlich. Ich hab gestern abend, als du schon schliefst, den Text für ein neues entworfen.

KARL THOMAS   Dieses Leben ohne Arbeit macht mich von Tag zu Tag fauler.

EVA BERG   Ja, es wäre Zeit, daß du Arbeit fändest.

KARL THOMAS   Manchmal denk ich ... Bubikopf nennt ihr die Frisur?

EVA BERG   Gefällt sie dir? ... Zu dumm, im sechsten Bezirk fehlen noch Vertrauensleute. Wo habe ich nur die Papiere gelassen? ... Ach hier. *(Liest, korrigiert, schreibt.)*

KARL THOMAS   Die Frisur kleidet dich, da du ein Gesicht hast. Frauen ohne Gesicht müssen sich in acht nehmen. Die Frisur macht nackt. Wie viele vertragen Nacktheit?

EVA BERG   Findest du?

KARL THOMAS   Die Gesichter in Straßen, Untergrundbahnen, schauerlich. Ich habe früher nie gesehen, wie wenig Menschen Gesichter haben. Fleischklumpen die meisten, von Angst und Dünkel aufgedunsen.

EVA BERG   Der Schluß ist nicht schlecht ... Hat man Sehnsucht nach Frauen drinnen?

KARL THOMAS   In den ersten sieben Jahren war ich begraben ... Im letzten Jahr litt ich furchtbar.

EVA BERG   Was tut man dann?

KARL THOMAS   Die einen haltens wie Knaben, die andern
glauben, Laken, Stück Brot, buntes Tuch seien Geliebte.

EVA BERG   Schlimm muß das letzte wache Jahr für dich
gewesen sein.

KARL THOMAS   Oft habe ich das Kissen an mich gepreßt
wie eine Frau, gierig mich zu wärmen.

EVA BERG   In jedem bellen die Eishunde ... Du mußt
Arbeit finden, Karl ...

KARL THOMAS   Wozu ... Eva, komm mit mir. Wir reisen
nach Griechenland. Nach Indien. Nach Afrika. Es müssen irgendwo noch Menschen leben, kindliche, die sind,
nur sind. In deren Augen Himmel und Sonne und Sterne
kreisen, leuchtend. Die nichts von Politik wissen, die
leben, nicht immer kämpfen müssen.

EVA BERG   Dich ekelt vor Politik? Glaubst du, du könntest
ihren Kreis durchbrechen? Glaubst du, du könntest über
südlicher Sonne, über Palmen, Elefanten, farbigen Ge-
wändern das wirkliche Leben der Menschen vergessen?
Das Paradies, das du dir träumst, existiert nicht.

KARL THOMAS   Seit meinem Besuch bei Wilhelm Kilman
mag ich nicht mehr. Dafür? Damit die Unsern als ver-
zerrte Spiegelbilder der Alten in die Welt grinsen?
Danke. Du sollst mir Morgen sein und Traum der Zukunft. Dich, dich will ich, nichts weiter.

EVA BERG   Flucht also?

KARL THOMAS   Nenns Flucht. Was liegt an Worten.

EVA BERG   Du betrügst dich. Schon morgen zernagte dich
Ungeduld, Sehnsucht nach dem ... Schicksal.

KARL THOMAS   Schicksal?

EVA BERG   Weil wir nicht atmen können in dieser Luft von
Fabriken und Hinterhöfen. Weil wir eingingen sonst wie
gefangene Tiere.

KARL THOMAS   Ja, du hast recht.

(Karl Thomas beginnt sich anzuziehen.)

EVA BERG Du mußt dich nach anderer Wohnung um-
schauen, Karl.

KARL THOMAS Darf ich bei dir nicht mehr wohnen, Eva?

EVA BERG Ehrlich, nein.

KARL THOMAS Meckert die Wirtin?

EVA BERG Ich würde es ihr abgewöhnen.

KARL THOMAS Warum dann nicht?

EVA BERG Ich muß allein sein können. Versteh mich.

KARL THOMAS Gehörst du nicht mir?

EVA BERG Gehören? Das Wort ist gestorben. Keiner gehört dem andern.

KARL THOMAS Verzeih, ich hab ein falsches Wort gewählt.
Bin ich nicht dein Geliebter?

EVA BERG Du meinst, weil ich mit dir geschlafen habe?

KARL THOMAS Bindet das nicht?

EVA BERG Ein Blick, den ich mit fremdem Menschen
tausche auf verwehter Straße, kann tiefer mich an ihn
binden als irgendeine Liebesnacht. Die braucht nichts zu
sein als sehr schönes Spiel.

KARL THOMAS Und was nimmst du ernst?

EVA BERG Das hier nehme ich ernst. Auch Spiel nehme
ich ernst ... Ich bin ein lebendiger Mensch. Habe ich,
weil ich kämpfe, der Welt entsagt? Die Meinung, daß
ein Revolutionär auf die tausend winzigen Freuden des
Lebens zu verzichten habe, ist absurd. Alle sollen teilnehmen, das wollen wir doch.

KARL THOMAS Was ist dir ... heilig?

EVA BERG Warum mystische Worte für menschliche Dinge?
... Du siehst mich an? ... Ich merke, wenn ich mit dir
spreche, die letzten acht Jahre, in denen du »begraben«
warst, haben uns stärker verwandelt als sonst ein Jahrhundert.

KARL THOMAS Ja, ich glaube mitunter, ich komme aus
einer Generation, die verschollen ist.

EVA BERG Was hat die Welt erlebt seit jener Episode.

KARL THOMAS Wie du von der Revolution sprichst!

EVA BERG   Diese Revolution war eine Episode. Sie ging
vorüber.

KARL THOMAS   Was bleibt?

EVA BERG   Wir. Mit unserm Willen zur Ehrlichkeit. Mit
unserer Kraft zu neuer Arbeit.

KARL THOMAS   Und wenn du ein Kind empfängst in diesen
Nächten?

EVA BERG   Werde ich es nicht gebären.

KARL THOMAS   Weil du mich nicht liebtest?

EVA BERG   Wie du vorbeiredest. Weil es Zufall wäre. Weil
es mich nicht notwendig dünkt.

KARL THOMAS   Wenn ich dumme Worte jetzt sage, falsche
Worte, hör nicht drauf, hör auf das Unsagbare, an dem
auch du nicht zweifelst. Ich brauche dich. Ich habe dich
gefunden in Tagen, da wir den Herzschlag des Lebens
hörten, weil der Herzschlag des Todes pochte, laut und
unaufhaltsam. Ich finde mich nicht zurecht in dieser
Zeit. Hilf mir, hilf mir! Die Flamme, die glühte, ist ver-
löscht.

EVA BERG   Du täuschest dich. Anders glüht sie. Unpatheti-
scher.

KARL THOMAS   Ich fühle sie nirgends.

EVA BERG   Was siehst du? Du fürchtest dich vor dem Tag
draußen.

KARL THOMAS   Sprich anders.

EVA BERG   Doch, laß mich sprechen. Alles Aussprechen be-
endet. Unwiderruflich. Entweder du gewinnst Kraft zu
neuem Beginn oder du gehst zugrunde. Aus Mitleid dich
in falschen Träumen halten, wäre Verbrechen.

KARL THOMAS   So hattest du Mitleid?

EVA BERG   Wahrscheinlich. Ich bin mir nicht klar. Nie
treibt ein Grund allein.

KARL THOMAS   Welches Erlebnis hat dich verhärtet in diesen Jahren?

EVA BERG   Schon wieder gebrauchst du Begriffe, die nicht
mehr stimmen. Ich war ein Kind, zugegeben. Wir können
es uns nicht mehr leisten, Kinder zu sein. Wir können

Hellsichtigkeit, Wissen, das uns zuwuchs, nicht mehr in
die Ecke werfen wie Spielzeug, das wir nicht mögen. Erlebnis – gewiß, ich habe viel erlebt. Männer und Situa-
tionen. Seit acht Jahren arbeite ich, wie früher nur
Männer arbeiteten. Seit acht Jahren entscheide ich über
jede Stunde meines Lebens. Darum bin ich wie ich bin
... Glaubst du, daß es mir leicht wurde? Oft, wenn ich
in einem dieser häßlichen möblierten Zimmer saß, habe
ich mich aufs Bett geworfen ... hab geheult, wie zerbrochen ... hab gedacht, ich kann nicht mehr weiter-
leben ... Dann kam die Arbeit. Die Partei brauchte
mich. Ich habe die Zähne zusammengebissen und ... Sei
vernünftig, Karl. Ich muß ins Amt gehen.
*(Fritz und Grete lugen durch die Tür. Verschwinden
wieder.)*

EVA BERG   Bleib den Morgen hier. Brauchst du Geld? Sag
nicht nein aus dummem Ehrgefühl. Ich helfe dir als
Kamerad, basta. Leb wohl.
*(Eva Berg geht.
Karl Thomas bleibt Sekunden allein.
Fritz und Grete, die Kinder der Wirtin, öffnen die Tür,
schauen neugierig.)*

FRITZ   Darf man mal reinkommen?

GRETE   Wir möchten Sie nämlich sehen.

KARL THOMAS   Ja, kommt nur.
(Fritz und Grete herein, beide betrachten Karl.)

FRITZ   Wir müssen nämlich bald gehen.

GRETE   Wir haben Karten fürs Kino.

FRITZ   Und heut abend gehen wir zum Boxkampf. Wollen wir mal boxen?

KARL THOMAS   Nein, ich kann nicht boxen.

FRITZ   Ach so.

GRETE   Aber tanzen können Sie, nicht? Verstehen Sie
Charleston oder Black Bottom?

KARL THOMAS   Nein, auch nicht.

GRETE   Schade ... Sie waren wirklich acht Jahre im Irrenhaus?

FRITZ   Sie wills nicht glauben.

KARL THOMAS   Doch. Ja.

GRETE   Und vorher waren Sie zum Tode verurteilt?

FRITZ   Mutter hats uns erzählt. Sie las es in der Zeitung.

KARL THOMAS   Eure Mutter vermietet Zimmer?

GRETE   Freilich.

KARL THOMAS   Eure Mutter ist arm?

FRITZ   Reich wären heute nur die Schieber, sagt Mutter
immer.

KARL THOMAS   Wißt ihr auch, warum ich zum Tode verurteilt wurde?

GRETE   Weil Sie im Krieg mit dabei waren.

FRITZ   Gans! Weil er in der Revolution mit dabei war.

KARL THOMAS   Was wißt ihr denn vom Krieg? Hat Mutter
euch von ihm erzählt?

GRETE   Nein, Mutter nicht.

FRITZ   In der Schule müssen wir doch die Schlachten lernen.

GRETE   An welchem Tag sie waren.

FRITZ   Blödsinnig, daß der Weltkrieg kommen mußte. Als
ob wir nicht schon genug zu lernen hätten in der Ge-
schichtsstunde. Von 1618–1648 dauerte der Dreißigjäh-
rige Krieg.

GRETE   Dreißig Jahre.

FRITZ   Von dem müssen wir halb soviel Schlachten lernen
wie vom Weltkrieg.

GRETE   Und dabei hat der nur vier Jahre gedauert.

FRITZ   Die Schlacht bei Lüttich, die Schlacht an der Marne,
die Schlacht bei Verdun, die Schlacht bei Tannenberg ...

GRETE   Und die Schlacht bei Ypern.

KARL THOMAS   Mehr wißt ihr nicht vom Krieg?

FRITZ   Es genügt uns.

GRETE   Und wie! Das letztemal habe ich mangelhaft bekommen, weil ich 1916 und 1917 verwechselte.

KARL THOMAS   Und ... was wißt ihr von der Revolution?

FRITZ   Von der brauchen wir nicht soviel Zahlen zu lernen, die ist einfacher.

KARL THOMAS   Was bedeuten Leid und Erkenntnis von Millionen, wenn schon die nächste Generation dafür taub ist? Alle Erfahrung rinnt ins Bodenlose.

FRITZ   Was sagen Sie?

KARL THOMAS   Wie alt seid ihr?

GRETE   Dreizehn.

FRITZ   Fünfzehn.

KARL THOMAS   Und ihr heißt?

FRITZ, GRETE   Fritz, Grete.

KARL THOMAS   Was ihr vom Krieg lerntet, ist sinnlos. Nichts wißt ihr vom Krieg.

FRITZ   Oho!

KARL THOMAS   Wie ihn euch schildern? ... Müttern wurden ... nein. Am Ende der Straße, was steht da?

FRITZ   Eine große Fabrik.

KARL THOMAS   Was wird darin gemacht?

FRITZ, GRETE   Säuren ... Gas.

KARL THOMAS   Was für Gas?

GRETE   Weiß ich nicht.

FRITZ   Aber ich. Giftgas.

KARL THOMAS   Wozu dient das Giftgas?

FRITZ   Wenn die Feinde uns überfallen.

GRETE   Ja, gegen die Feinde, wenn sie unser Land verwüsten wollen.

KARL THOMAS   Wer sind denn eure Feinde?

FRITZ, GRETE *(schweigen)*.

KARL THOMAS   Gib mal deine Hand Fritz ... Was wird mit dieser Hand, wenn eine Kugel sie durchlöchert?

FRITZ   Dankschön. Futsch.

KARL THOMAS   Was wird mit deinem Gesicht, wenn es ein Quentchen Giftgas umnebelt? Hast du es in der Schule gelernt?

GRETE   Und ob! Zerfressen wirds. Ratzekahl. Und dann stirbt man.

KARL THOMAS   Möchtest du sterben?

GRETE   Sie fragen komisch. Natürlich nicht.

KARL THOMAS   Und nun will ich euch eine Geschichte erzählen. Kein Märchen. Eine Geschichte, die passiert ist, bei der ich dabei war. Während des Krieges lag ich irgendwo in Frankreich im Schützengraben. Plötzlich, nachts, hörten wir Schreie, so, als wenn ein Mensch furchtbare Schmerzen leidet. Dann wars still. Wird wohl einer zu Tode getroffen sein, dachten wir. Nach einer Stunde vernahmen wir wieder Schreie, und nun hörte es nicht mehr auf. Die ganze Nacht schrie ein Mensch. Den ganzen Tag schrie ein Mensch. Immer klagender, immer hilfloser. Als es dunkel wurde, stiegen zwei Soldaten aus dem Graben und wollten den Menschen, der verwundet zwischen den Gräben lag, hereinholen. Kugeln knallten, und beide Soldaten wurden erschossen. Nochmal versuchtens zwei. Sie kehrten nicht wieder. Da kam der Befehl, es dürfe keiner mehr aus dem Graben. Wir mußten gehorchen. Aber der Mensch schrie weiter. Wir wußten nicht, war er Franzose, war er Deutscher, war er Engländer. Er schrie wie ein Säugling schreit, nackt, ohne Worte. Vier Tage und vier Nächte schrie er. Für uns waren es vier Jahre. Wir stopften uns Papier in die Ohren. Es half nichts. Dann wurde es still. Ach, Kinder, vermöchte ich Phantasie in euer Herz zu pflanzen wie Korn in durchpflügte Erde. Könnt ihr euch vorstellen, was da geschah?

FRITZ   Doch.

GRETE   Der arme Mensch.

KARL THOMAS   Ja, Mädchen, der arme Mensch! Nicht: der Feind. Der Mensch. Der Mensch schrie. In Frankreich und in Deutschland und in Rußland und in Japan und in Amerika und in England. In solchen Stunden, in denen man, wie soll ichs sagen, hinabsteigt bis zum Grundwasser, fragt man sich: Warum das alles? Wofür das alles? Würdet ihr auch so fragen?

FRITZ, GRETE   Ja.

KARL THOMAS   In allen Ländern grübelten die Menschen über die gleiche Frage. In allen Ländern gaben sich Menschen die gleiche Antwort. Für Gold, für Land, für

Kohlen, für lauter tote Dinge, sterben, hungern, verzweifeln die Menschen, hieß die Antwort. Und dort und
dort standen die Mutigsten des Volks auf, riefen den
Blinden zu ihr hartes Nein, wollten, daß dieser Krieg
aufhörte und alle Kriege, kämpften für eine Welt, in der
es alle Kinder gut hätten ... Bei uns verloren sie, wurden besiegt.

(Lange Pause.)

FRITZ   Wart ihr viele?

KARL THOMAS   Nein, das Volk begriff nicht, warum wir
kämpften, sah nicht, daß wir für sein Leben uns erhoben.

FRITZ   Auf der anderen Seite, waren da viele?

KARL THOMAS   Sehr viele, Waffen hatten sie und Geld und
bezahlte Soldaten.

(Pause.)

FRITZ   Und ihr wart so dumm zu glauben, ihr könntet
siegen?

GRETE   Ja, da wart ihr recht dumm.

KARL THOMAS *(starrt sie an)*. Was sagt ihr?

FRITZ   Dumm wart ihr.

GRETE   Sehr dumm.

FRITZ   Jetzt müssen wir gehen. Sput dich, Grete.

GRETE   Ja.

FRITZ, GRETE   Guten Tag. Auf Wiedersehen.

(Pause.

Eva Berg kommt zurück.)

EVA BERG   Nun könnte ich mit dir reisen.

KARL THOMAS   Was ist?

EVA BERG   Prompte Antwort.

KARL THOMAS   Sprich!

EVA BERG   Ich kam nicht hinein ins Amt. Der Pförtner gab
mir den Entlassungsbrief. Aus dem Dienst gejagt.

KARL THOMAS   Kilman!

EVA BERG   Weil ich gestern nachmittag zu den ausgesperr-
ten Arbeiterinnen sprach.

KARL THOMAS   Dieser Kerl!

EVA BERG   Es wundert dich? Wer mit Lehm patzt, muß
kneten.

KARL THOMAS   Bist du überzeugt nun, Eva? Komm. Hier
liegt ein Kursbuch. Wir fahren noch heute nacht. Fort!
Nur fort, nur fort!

EVA BERG   Du sprichst von uns beiden? Nichts hat sich
geändert. Glaubst du im Ernst, ich würde die Kameraden
im Stich lassen?

KARL THOMAS   Verzeih.

EVA BERG   Magst du nicht mit uns arbeiten? ... Überlegs
dir.

(Eva Berg geht.
Karl Thomas starrt sie an.)

(Dunkel.)

Filmisches Zwischenbild

Osten einer Großstadt

Fabriken

Schornsteine

Feierabend

Arbeiter verlassen Fabrik

Menge in Straßen

Zweite Szene

Arbeiterwirtschaft

(Der hintere erhöhte Raum ist als Wahllokal eingerichtet. Am Tisch der Wahlleiter, neben ihm die Wahlbeisitzer. Rechts die Wahlkabine. Eingang dem Zuschauerraum zugewandt. Vorne an Tischen Gäste. Wenn an einem Tisch gesprochen wird, ist er hell beleuchtet, der andere Raum dunkler. Herein dritter Arbeiter.)

DRITTER ARBEITER   Na, hier flutscht es. Der Schwindel blüht.

ZWEITER ARBEITER   Mensch, schweig doch. Mit deinem blöden Anarchismus kämen wir auch nicht weiter.

DRITTER ARBEITER   Weiß schon, wenn ihr wählt, da kommt ihr weiter.

ERSTER ARBEITER   Es hat alles seine Richtigkeit. Auch die Wahl. Sonst wäre sie nicht da. Wenn du so dämlich bist, das nicht zu begreifen ...

DRITTER ARBEITER   Nur die allerdümmsten Kälber wählen ihre Metzger selber.

ERSTER ARBEITER   Meinst du uns?

ZWEITER ARBEITER   Kinnhaken gefällig?

(Von hinten.)

WAHLLEITER   Ruhig vorne. Man kann seine eigene Stimme nicht verstehen ... Wie heißen Sie?

ALTE FRAU   Barbara Stilzer.

WAHLLEITER   Wo wohnen Sie?

ALTE FRAU   Ab ersten Oktober werde ich Schulstraße sieben wohnen.

WAHLLEITER   Wo Sie jetzt wohnen, möchte ich wissen.

ALTE FRAU   Wenn der Hauswirt glaubt, er könnte mich kujonieren, weil ich mich beschwert hab beim Mietsamt ... Margaretenstraße elf, vierter Stock.

WAHLLEITER   Stimmt.

ALTE FRAU *(bleibt stehen).*

WAHLLEITER Sie können Ihren Stimmzettel abgeben.

ALTE FRAU Ich komme nur, weils heißt, sie bestrafen einen, wenn man nicht wählt.

WAHLLEITER Also, liebe Frau, Sie nehmen den Bleistift, malen ein Kreuz hinter den Namen Ihres Kandidaten und tun ihn in die Urne da drinnen.

ALTE FRAU Ich hab keinen Stimmzettel, Herr Kriminalkommissar ... Ich hab nicht gewußt, daß ich einen Stimmzettel mitbringen muß ... Wie soll man sich auskennen bei den vielen Paragraphen ...

WAHLLEITER Ich bin kein Kriminalkommissar. Ich bin der Wahlleiter. Dort stehen die Stimmzettelverteiler. Lassen Sie sich einen geben und dann kommen Sie wieder. *(Wahlhandlung geht weiter.)*

ALTE FRAU *(geht nach vorne).*

ERSTER STIMMZETTELVERTEILER Hier, junge Frau, hinter eins müssen Sie ein Kreuz machen. Da wählen Sie den richtigen Präsidenten. Der Kriegsminister wird für Ruhe und Ordnung sorgen und für die Frauen.

ALTE FRAU *(wendet unschlüssig den Zettel hin und her).*

ZWEITER STIMMZETTELVERTEILER Na, Mutterchen, immer das Kreuz hinter zwei setzen. Wollen Sie, daß die Kohlen billiger werden und das Brot?

ALTE FRAU Schande, wie die Preise wieder steigen.

ZWEITER STIMMZETTELVERTEILER Alles die Großagrarier, Mutterchen. Die scheffeln den Speck. Hier das Kreuz her, da stimmen Sie für die Volksversöhnung.

ALTE FRAU *(wendet unschlüssig den Zettel hin und her).*

DRITTER STIMMZETTELVERTEILER Als klassenbewußte Proletarierin wählen Sie Nummer drei. Klare Entscheidung, Genossin. Ruhe und Ordnung – Quatsch. Ruhe und Ordnung für die Kapitalisten, nicht für Sie. Volksversöhnung – Quatsch. Wenn Sie sich kuschen, dann dürfen Sie die Bruderhand lecken, sonst setzts Fußtritte. Hinter drei das Kreuz, oder Sie drehen sich selbst den Strick.

ALTE FRAU *(wendet unschlüssig den Zettel hin und her).*

ERSTER STIMMZETTELVERTEILER Hinter eins, junge Frau! Nicht vergessen!

ZWEITER STIMMZETTELVERTEILER Hinter zwei, Mutterchen!

DRITTER STIMMZETTELVERTEILER Nur drei hilft die Ketten sprengen, Genossin!

ALTE FRAU *(geht nach hinten).*

WAHLLEITER Haben Sie jetzt Ihren Stimmzettel?

ALTE FRAU Hier, drei Stück.

WAHLLEITER Nur einen reinwerfen. Sonst ist die Stimme ungültig.

ALTE FRAU *(geht in die Kabine).*

ALTE FRAU Darf ich wieder herauskommen?
(Kommt heraus.)

ALTE FRAU Schön guten Abend, Herr Kriminalkommissar. *(Im Hinausgehen zu den Stimmzettelverteilern.)* Schon gut, schon gut, regt euch nicht auf, regt euch nicht auf, ich hab hinter jeden ein Kreuz gemacht.
(Am Tisch links.)

ZWEITER ARBEITER Den Weibern das Wahlrecht geben. Nur die Pfaffen profitieren davon.

ZWEITER ARBEITER Früher, wo ich Arbeit hatte, saß ich nicht im Monat so viel im Wirtshaus wie jetzt an einem Tag.

ERSTER ARBEITER Und deine Frau? Ich möchts nicht klatschen hören. Schrammen hast genug.

ZWEITER ARBEITER Bei der Unterstützung können wir vier Tage Hering und Marmelade fressen und drei Tage die Nase gegen den Wind halten. Es kommt auf eins raus.

ERSTER ARBEITER Geh ich gestern aus der Tür, steht draußen vor der Schenke ein Bourgeoisweib, weißt du, mit Spitzen prima, voll Speck oben und unten, sagt laut: »Mit den Leuten soll man Mitleid haben.« Hab ich geantwortet: Frau Kommerzienrat, hab ich gesagt, vielleicht kommt noch mal eine Zeit, wo Sie froh sein werden, wenn ich mit Ihnen Mitleid hab, hab ich gesagt.

ZWEITER ARBEITER Aufhängen sollte man sie, nichts als aufhängen. Alle miteinander.

ERSTER ARBEITER Wir werdens ihnen zeigen bei der Wahl.
(Karl Thomas herein.)

KARL THOMAS *(zum Wirt).* Bei Ihnen verkehrt Albert Kroll?

WIRT Er war grad hier. Er muß gleich wiederkommen.

KARL THOMAS Ich werde warten.

(Setzt sich an Tisch rechts.
Vor dem Tisch des Wahlleiters.)

WÄHLER Das lasse ich mir nicht gefallen!

WAHLLEITER Herr Sekretär, ein Irrtum . . .

WÄHLER Der mich mein Stimmrecht kostet. Ich werde
Einspruch erheben gegen die Wahl! Die Wahl muß als
ungültig erklärt werden! Ich werde nicht ruhen! Ich geh
bis zu den höchsten Instanzen!

WAHLLEITER Ich gebe ja zu, daß Ihre Eintragung in die
Wählerliste zu Unrecht unterblieb . . .

WÄHLER Dafür kann ich mir was kaufen! Mein Recht will
ich! Mein Recht!

WAHLLEITER Ich darf nach dem Gesetz nicht . . .

WÄHLER Mich rechtlos machen, das dürfen Sie. Ich werde
hier Ordnung schaffen! Ich werde den Saustall anpran-
gern!

WAHLLEITER Haben Sie Einsehen, Herr Sekretär. Bedenken Sie, welche Unruhe Sie ins Volk . . .

WÄHLER Ist mir egal. Recht muß Recht bleiben . . .

ZWEITER WAHLBEISITZER Bitte schön, Herr Sekretär . . .

WAHLLEITER Als Staatsbürger werden Sie nicht wollen,
daß . . .

WÄHLER Es muß in die Presse, schwarz auf weiß. Dahinter steckt was anderes. Gerade mir muß es passieren, immer muß es mir passieren, immer, immer, immer! Aber
jetzt ist Schluß! *(Läuft davon, stößt in der Tür mit*
Albert Kroll zusammen, der hineinkommt.
Albert Kroll stutzt, erkennt Karl Thomas.)

ALBERT KROLL Menschenskind.

KARL THOMAS Endlich find ich dich.

ALBERT KROLL Armer Kerl. Schlimme Zeiten gewesen. Auch
für uns. Arbeit gefunden?

KARL THOMAS   Sechsmal war ich auf dem Arbeitsnachweis.
Ich hab doch Setzer gelernt, als sie mich aus der Universität schmissen. Kollegen sind dir manche Sekretäre!
Wie Abteilungschefs im Warenhaus. Kalte Schulter,
schlimmer als die echten. Könnten auch in anderen
Warenhäusern perfekt arbeiten.

ALBERT KROLL   Der Alltag.

KARL THOMAS   Du sagst es, als obs so sein müßte.

ALBERT KROLL   Nein. Nur es regt mich nicht mehr auf.
Wart einen Augenblick, ich geh nach oben, ich gehöre
zum Wahlvorstand. Man muß den Kerlen auf die Finger
sehen.

(Oben am Wahltisch.)

ZWEITER WAHLBEISITZER   Eine Beteiligung! Eine Beteiligung! In einer Stunde ist die Wahl zu Ende und schon
achtzig Prozent. Achtzig Prozent!

ALBERT KROLL   Es haben dreihundert Arbeiter protestiert,
weil sie nicht in die Wahlliste aufgenommen werden.

WAHLLEITER   Nicht meine Schuld. Die aus dem Siedlungsblock bei den Chemischen Werken mußten gestrichen
werden. Sie wohnen nicht vier Monate hier.

ALBERT KROLL   Aber die Studenten haben Wahlrecht. Seit
wann sind die hier? Seit drei Wochen!

WAHLLEITER   Das Ministerium des Innern hat so entschieden, nicht ich.

ALBERT KROLL   Wir werden Einspruch erheben gegen die
Wahl.

ZWEITER WAHLBEISITZER *(am Telephon)*. Ist dort sechster
Bezirk? Wieviel haben gewählt? Fünfundsechzig Prozent? Bei uns achtzig! *(Hängt Telephon ein.)* Meine
Herren, wir marschieren an der Spitze und Sie wollen
Einspruch erheben ...

(Albert Kroll geht zu Karl Thomas.)

ALBERT KROLL   Kilman hat den Arbeitern bei den Chemischen Werken das Stimmrecht gestohlen!

KARL THOMAS   Meinetwegen. Was liegt daran, Albert, Genosse, was ist aus unserm Kampf geworden. Warenhaus hab ich vorhin gesagt. Jeder sitzt auf seinem Pöstchen. Kasse eins ... Kasse zehn ... Kasse zwölf. Kein frischer Hauch. Die Luft modert vor Ordnung. Mir hat irgendein Wisch gefehlt, ich mußte nochmal meine Papiere einreichen an die zuständigen Instanzen. Es schimmelt nach Bürokratie.

ALBERT KROLL Wissen wir. Noch mehr wissen wir. Die versagt haben, als es um die Entscheidung ging, spucken heute wieder große Töne.

KARL THOMAS Und ihr laßt es euch gefallen?

ALBERT KROLL Wir kämpfen. Zu wenige sind wir. Die meisten haben vergessen, wollen ihre Ruhe. Wir müssen Kameraden gewinnen.

KARL THOMAS Hunderttausende sind arbeitslos.

ALBERT KROLL Schleicht sich Hunger zu einer Tür rein, schleicht Verstand zur andern Tür raus.

KARL THOMAS Wie ein alter Mann sprichst du.

ALBERT KROLL Jahre wie diese zählen zehnfach. Man lernt.

KARL THOMAS Hat der Herr Minister Kilman auch gesagt.

ALBERT KROLL Möglich. Weil er was zu verbergen hat. Ich will dir die Wahrheit zeigen.

VIERTER ARBEITER *(herein).* Albert, die Polizei hat unser Lastautomobil beschlagnahmt.

ALBERT KROLL Warum?

VIERTER ARBEITER Wegen der Bilder! Wir hätten den Kriegsminister verhöhnt.

ALBERT KROLL Wählt gleich eine Delegation, sie soll ins Ministerium, sich beschweren.

VIERTER ARBEITER Haben wir schon heute vormittag getan wegen der Flugblattverteiler, die verhaftet wurden. Kilman läßt niemand vor.

ALBERT KROLL Dem Kriegsminister hat er die Militärkapelle gratis serviert ... Los, geht ins Ministerium. Gleich telephonieren, wenn er sich weigert.

(Vierter Arbeiter geht.)

ALBERT KROLL Hast du gehört, Karl?

KARL THOMAS Was geht mich die Wahl an. Deinen Glau-

ben zeig mir, den alten, der Erde und Himmel und
Sterne fortfegte.

ALBERT KROLL   Du meinst, den hab ich nicht mehr? Soll ich
dir aufzählen, wie oft wir ausbrechen wollten aus den ver-
fluchten Sielen? Soll ich dir die Namen nennen der alten
Kameraden, die ermordet wurden, eingesperrt, gehetzt?

KARL THOMAS   Nur der Glaube zählt.

ALBERT KROLL   Wir wollen keine Seligkeit im Himmel.
Man muß sehen lernen und sich dennoch nicht unterbe-
kommen lassen.

KARL THOMAS   Die großen Führer haben nicht so gesprochen.

ALBERT KROLL   Glaubst du? Ich stell mir das anders vor.
Drauflos marschierten sie. Unter den Füßen Glas. Und
wenn sie durchsahen, sahen sie den Abgrund aus Feindschaft der andern und Dummheit der eigenen. Und sahen
vielleicht noch mehr.

KARL THOMAS   Keine Handbreit hätten sie gerührt, würden sie je gelotet haben die Tiefe unter sich.

ALBERT KROLL   Gelotet nie. Gesehen immer.

KARL THOMAS   Alles falsch, was ihr tut. Ihr macht den
Wahlschwindel mit.

ALBERT KROLL   Und was machst du? Was willst du tun?

KARL THOMAS   Geschehen muß was. Einer muß ein Beispiel geben.

ALBERT KROLL   Einer? Alle. Jeden Tag.

KARL THOMAS   Ich mein es anders. Einer muß sich opfern.
Dann werden die Lahmen rennen. Tage und Nächte habe
ich die Fäuste gegen meinen Schädel getrommelt. Jetzt
weiß ich, was ich zu tun habe.

ALBERT KROLL   Ich höre.

KARL THOMAS   Rück ran. Unauffällig.
(Spricht leise mit Albert.)

ALBERT KROLL   Uns nützest du nicht.

KARL THOMAS   Nur so helf ich mir. Der Ekel erstickt mich.
*(Albert Kroll ist wieder zum Tisch des Wahlleiters ge-
gangen.)*

ALBERT KROLL   Die Polizei hat unser Lastauto beschlagnahmt. Das ist Sabotage des Arbeiterkandidaten.

EIN WÄHLER   Euer Kandidat ist doch vom Ausland bestochen.

ALBERT KROLL   Lüge! Wahlhetze!

WAHLLEITER *(zu Albert Kroll.)* Sie dürfen nicht beeinflussen. *(Zum Wähler.)* Hier ist keine Auskunftsstelle, Herr Metzgermeister.

ALBERT KROLL   Niemand will ich beeinflussen. Ich darf wohl noch die Wahrheit sagen.

ZWEITER WAHLBEISITZER *(am Telephon).* Wie spät ist es bei euch? Acht Uhr fünfzig? ... Ja, ja, bei uns flutscht es. Mächtiger Betrieb. Eben bringen sie die Kranken auf Tragbahren. *(Hängt ab.)* Die Uhr im fünften Bezirk geht acht Minuten vor. Acht Minuten! Ich hab es ihm nicht gesagt. Da erfahren wir schon acht Minuten früher die Resultate.

(Albert Kroll geht zum Tisch von Karl Thomas.)

ALBERT KROLL   Mir den Mund verbieten, wenn ich die Wahrheit sagen will. Ich kusch mich nicht.

KARL THOMAS   Großer Mut! In Wahrheit seid ihr Feiglinge! Alle, alle, alle! Wäre ich im Irrenhaus geblieben! Jetzt faßt mich schon vorm Plan der Ekel. Wofür? Für eine Herde feiger Wahlspießer?

ALBERT KROLL   Du möchtest, daß um deinetwillen die Welt ein ewiges Feuerwerk sei, mit Raketen und Leuchtkugeln und Schlachtengetöse. Du bist der Feigling, nicht ich.

(Am Tisch links.)

ERSTER ARBEITER   Warst schon wählen?

ZWEITER ARBEITER   Nein, ich geh jetzt. Warum soll ich nicht für Volksversöhnung stimmen, wo die Gnädige von der Lina auch dafür stimmt. Mit dem Kilman muß was los sein, sag ich dir, die Gnädige von der Lina hat Grütze im Kopf. Die ist überhaupt pikfein. Am Sonntag, wenn die Lina Ausgang hat, kommt die Gnädige immer in die Küche. Lina, sagt sie, ich wünsche Ihnen schönen Sonntag. Und dann gibt sie ihr die Hand. Jedesmal.

ERSTER ARBEITER Da schau.
(Zweiter Arbeiter geht zum Wahltisch.
Pickel kommt.)
PICKEL Entschuldigen Sie, kann man hier wählen?
(Die Stimmzettelverteiler umringen Pickel.)
ERSTER STIMMZETTELVERTEILER Ruhe und Ordnung im
ganzen Land, mit Gott fürs teure Vaterland! Nur eins!
ZWEITER STIMMZETTELVERTEILER Wach auf, du Volk, noch
ist es Zeit, nicht rechts, nicht links, sei staatsbereit! Nur
zwei!
DRITTER STIMMZETTELVERTEILER Der Präsident von Num-
mer drei, macht Arbeiter und Bauern frei! Nur drei!
PICKEL Danke schön, danke schön.
(Pickel geht zum Tisch des Wahlleiters.)
WAHLLEITER Wie heißen Sie?
PICKEL Pickel.
WAHLLEITER Wo wohnen Sie?
PICKEL Zwar wohne ich in Holzhausen, jedoch ...
WAHLLEITER Sie sind nicht eingetragen in die Wahlliste ...
Schreiben Sie sich mit Be?
PICKEL Wo werde ich ... Pickel ... Pickel Pe ... Pe ...
Nicht zwei Pe ... Zwar ich möchte erklären, daß ...
WAHLLEITER Ihre Erklärung nützt nichts. Sie dürfen hier
nicht wählen. Sie sind im falschen Wahllokal.
PICKEL Ich muß Ihnen erklären ... Zwar wohne ich in
Holzhausen ...
WAHLLEITER Was wollen Sie hier? Halten Sie die Wahl
nicht auf. Der nächste ...
(Wahlhandlung geht weiter.)
PICKEL *(zu Karl Thomas gehend).* Zwar wäre mir meiner-
seits gleich, ob ich wähle, jedoch ich will nicht undank-
bar sein gegen den Herrn Minister ... Ich möcht ihm
meine Stimme geben.
KARL THOMAS Lassen Sie mich in Ruhe.
(Pickel geht zum dritten Arbeiter.)
PICKEL Zwar wäre ich längst nach Hause gereist, ich

wollte nur einen Tag bleiben, jedoch es hörte nicht auf mit Regnen.

DRITTER ARBEITER Wenns hier nur reinregnen tät. Die ganze Bude müßt es überschwemmen. Alles Betrug! Den Hintern abwischen sollt man sich mit den Zetteln.

PICKEL Dieses meine ich nicht. Nämlich ich fahre nicht bei Regenwetter. Ich habe sechs Wochen gewartet, eh ich zum Herrn Minister reiste, weil immer Gewitter in der Luft lag.

(Bankier kommt.
Stimmzettelverteiler umringen ihn.)

BANKIER Danke.

(Geht zum Wahlleiter.)

WAHLLEITER Zu dienen, Herr Generaldirektor. Herr Generaldirektor wohnen immer noch am Opernplatz?

BANKIER Ja. Ich komme ein bißchen spät.

WAHLLEITER Früh genug, Herr Generaldirektor. Bitte sehr, dort.

(Bankier geht in die Wahlkabine.)

PICKEL Ich hatte einen Onkel, den erschlug der Blitz in der Eisenbahn. Zwar die Eisenbahnen ziehen den Blitz an, jedoch die Menschen sind schuld daran mit ihrem neumodischen Getös.

WAHLLEITER *(zum Bankier, der die Wahlkabine verlassen hat).* Ergebenster Diener, Herr Generaldirektor.

(Bankier geht.)

DRITTER ARBEITER Der macht das Rennen, kein anderer, und die dummen Arbeiter schlucken den Staub.

PICKEL Das Radio und die elektrischen Wellen, die bringen Unordnung in die Atmosphäre. Zwar ...

WAHLLEITER Die Wahlhandlung ist geschlossen.

ERSTER ARBEITER Da bin ich aber neugierig.

ZWEITER ARBEITER Wollen wir wetten, daß der Kriegsminister durchfällt?

DRITTER ARBEITER Gewählt wird er! Recht geschieht euch!

ZWEITER ARBEITER Quatsch nicht so dämlich, alter Anarchiste!

RADIO   Achtung! Achtung! Erstes Wahlresultat. Zwölfter Bezirk. Siebenhundertvierzehn Stimmen für den Kriegsminister, Exzellenz von Wandsring, vierhundertvierzehn Stimmen für Minister Kilman, siebenundsechzig Stimmen für Maurer Bandke.

ZWEITER ARBEITER   Au.

ERSTER ARBEITER   Schiebung.

DRITTER ARBEITER   Bravo!

(Erster und dritter Arbeiter gehen.)

PICKEL   Herr Wahlleiter, Sie dürfen nicht Schluß machen. Ich bestehe ... Zwar bin ich nur ..., jedoch wollen die in der Großstadt uns immer ... Ich nämlich kenn den Herrn Minister Kilman, ich bin mit ihm befreundet ...

WAHLLEITER   Beschweren Sie sich.

PICKEL   Wenn Minister Kilman nun eine Stimme zuwenig erhält. Bedenken Sie, wenns an meiner Stimme liegt ...

RADIO   Achtung! Achtung! Meldung aus Osthafen. Sechstausend für Maurer Bandke. Viertausend für Minister Kilman, zweitausend für Exzellenz von Wandsring.

MENGE AUF DER STRASSE   Hurra! Hurra!

ALBERT KROLL   Die Werftarbeiter! Unsere Pioniere! Bravo!

KARL THOMAS   Was Bravo? Wie kannst du dich freuen über Wahlstimmen? Sind die eine Tat?

ALBERT KROLL   Tat – nein. Sprungbrett zu Taten.

RADIO   Achtung! Achtung! In der Hauptstadt hat nach letzten Meldungen Minister Kilman die Majorität.

MENGE AUF DER STRASSE   Hoch Kilman! Hoch Kilman!

ZWEITER ARBEITER   Hab ichs nicht gesagt? Meine drei Glas Bier! Berappen! Berappen!

ERSTER ARBEITER   Wer hat von drei Glas Bier gesprochen? Eine Lage war ausgemacht.

ZWEITER ARBEITER   Jetzt drückst du dich!

ERSTER ARBEITER Hör bloß auf, sonst ...

PICKEL Ich meinerseits werde nicht ruhen ... Der Herr
Minister hätte, wenn meine Stimme ... Er hätte noch
eine Stimme ... Zwar seine Wahl ...

ZWEITER WAHLBEISITZER Meine Herren, wir haben den
Rekord geschlagen. Siebenundneunzig Prozent Wahlbeteiligung! Siebenundneunzig Prozent!

KARL THOMAS Wenn ich nur verstünde! Wenn ich nur
verstünde! Bin ich in ein Tollhaus geraten?

RADIO Achtung! Achtung! Neun Uhr dreißig verkünden
wir das Resultat.

ZWEITER ARBEITER Ich wette Kilman. Zehn Lagen? Wer
hält?

PICKEL Ich würde sofort ... Wenn ich meine Stimme ...

ZWEITER WAHLBEISITZER Wir müssen es in die Zeitung setzen. Siebenundneunzig Prozent Wahlbeteiligung. Das ist
noch nicht dagewesen! Das ist noch nicht dagewesen!

PICKEL Wenn Sie mich hätten wählen lassen, würden die
Prozente ...
(Tumult vor der Tür. Arbeiter herein.)

DRITTER ARBEITER Mutter Meller haben sie erschlagen!

VIERTER ARBEITER Diese Bande. Eine alte Frau.

ALBERT KROLL Was gibts?

FÜNFTER ARBEITER Sie wollte ein Wahlflugblatt ankleben
an den Chemischen Werken.

VIERTER ARBEITER Mit Gummiknüppel! Eine alte Frau.

DRITTER ARBEITER Aufs Trottoir geklatscht und aus!

FÜNFTER ARBEITER Seit wann ist es verboten, Flugblätter
anzukleben?

DRITTER ARBEITER Frage! Weil wir freie Wahl haben.

VIERTER ARBEITER Mitten aufn Kopf. Eine alte Frau.

KARL THOMAS Hörst du?

ALBERT KROLL Platz, Kameraden.
(Albert Kroll will zur Tür.

In diesem Augenblick bringt man die ohnmächtige Frau Meller.

Albert Kroll bettet sie auf die Erde.)

ALBERT KROLL   Ein Kissen ... Wasser! ... Ohnmächtig. Sie lebt ...

VIERTER ARBEITER   Ohne Warnung. Gleich mit Gummiknüppel. Eine alte Frau.

ALBERT KROLL   Kaffee!

FÜNFTER ARBEITER   Und die Verfassung! Sie werden sich verantworten müssen.

DRITTER ARBEITER   Vor wem? Vorm Gevatter Richter? Mensch, du bist naiv.

ALBERT KROLL   Ich, Mutter Meller ... Ruhig atmen ... So ... Jetzt dürfen Sie sich wieder hinsetzen. Das ist der Karl Thomas. Kennen Sie ihn wieder?

FRAU MELLER   Der Karl ...

ALBERT KROLL   Was ist passiert? Wollen Sie erzählen?

FRAU MELLER   Ach, im Flugblatt fehlte ein I-Punkt. Den hat ein Kerl mit seinem Gummiknüppel mir aufn Rükken gesetzt. In Fettdruck ... Eva haben sie verhaftet.

(Tumult an der Tür.

Erster und dritter Arbeiter mit Rand herein.)

ERSTER ARBEITER   Hier bringen wir das Brüderchen!

DRITTER ARBEITER   Ich kenn ihn. In unsern Versammlungen Stammgast. Immer der Radikalste.

ERSTER ARBEITER   Provokateur!

MEHRERE ARBEITER *(auf Rand einstürmend).* Hin muß er! Hin!

(Albert Kroll springt dazwischen, packt Rand mit der rechten Hand am Arm.)

ALBERT KROLL   Ruhe!

KARL THOMAS   Den Teufel Ruhe! Sollen wir alles schlukken? Da habt ihr euren Wahlsieg!

(Karl Thomas will Rand niederschlagen.

Albert Kroll packt Karl Thomas mit der linken Hand.)

KARL THOMAS   Du ... Du ... laß los!

ALBERT KROLL   Nimm du ihn, Mutter Meller.

FÜNFTER ARBEITER Sollte man nicht lieber die Partei fragen?

ALBERT KROLL Die Partei! Sind wir Wickelkinder?

RAND Dankeschön, Herr Kroll.

ALBERT KROLL Woher kennen wir uns?

RAND Ich war doch Ihr Aufseher damals.

FRAU MELLER Ein Donnerwetter. Feines Wiedersehen. Wir sollten ein Täßchen Kaffee trinken miteinander.

RAND Hab ich Sie nicht immer freundlich behandelt, Herr Kroll? Sie müssen es mir bestätigen.

ALBERT KROLL So freundlich, daß, wenn man Ihnen befohlen: »Umlegen«, Sie sich einen nach dem andern geholt hätten. ... Stimme, honigsüß, Gesicht zum Küssen. »Bitt schön, machen Sie es mir nicht schwer, ich tue nur meine Pflicht, gleich ists vorüber.«
(Arbeiter lachen.)

RAND Was soll man tun? Ich bin auch nur Arbeiter. Ich muß auch leben. Hab fünf Kinder. Und ein Gehalt zum Kotzen. Ich führ nur meine Befehle aus.

ERSTER ARBEITER Hier den Revolver knöpften wir ihm ab.

KARL THOMAS *(springt auf, greift nach dem Revolver, legt ihn auf Rand an).*

ALBERT KROLL *(schlägt ihm auf den Arm).* Laß den Unsinn!
(Frau Meller ist Karl Thomas nachgelaufen, zieht ihn zu sich.)

ALBERT KROLL Womit haben Sie sich den Bauch ausgestopft? Die schlanke Mode ist Ihnen schnuppe. *(Zieht aus Rands Weste Flugblätter, liest.)* »Genossen, hütet euch vor den Juden!« ... »Landfremde Elemente.« »Duldet nicht, daß die Weisen von Zion ...« Eine Überzeugung haben Sie auch?

RAND Und ob! Die Juden ...

ALBERT KROLL Wieviel Moneten bringt die Überzeugung ein? ... Raus jetzt! Marsch! Einmal hab ich Sie geschützt ... Ein zweites Mal werd ichs nicht mehr können – wenn ichs wollte.

(Rand hinaus.)

ARBEITER   Laß dich erwischen!

KARL THOMAS   Nein, Mutter Meller, nein, lassen Sie mich. Ich will sprechen mit ihm ... Warum bremst du?

ALBERT KROLL   Weil ich mit Volldampf fahren will, wenns Zeit ist. Es gehört Kraft dazu, sich zu gedulden.

KARL THOMAS   Kilman sagt es ähnlich.

ALBERT KROLL   Narr.

KARL THOMAS   Was soll ich denn tun, um euch zu verstehen?

ALBERT KROLL   Arbeite irgendwo.

FRAU MELLER   Ich weiß Rat, Jung. Das Hotel, in dem ich schaffe, sucht Hilfskellner. Ich werde mich hinter den Ober stecken. Hast du eine Bleibe? Kannst bei mir schlafen.

ALBERT KROLL   Tus, Karl. Du mußt in den Alltag hinein.

FRAU MELLER   Du gefällst mir, Albert. Trinkst mir nichts dir nichts meinen Kaffee ... Noch eine Tasse, Herr Wirt ...

VIERTER ARBEITER   Mit Gummiknüppel. Eine alte Frau ...

RADIO   Achtung! Achtung! *(Radio versagt ... Schnarrende Laute.)*

PICKEL   Die Atmosphäre ...

RADIO   Der Kriegsminister Exzellenz Wandsring wurde mit großer Majorität zum Präsidenten der Republik gewählt.

(Während auf der Straße Geschrei, Gesang aufquirlt, das Bild des Präsidenten am Horizont erscheint,

Vorhang.)

Dritter Akt

Erste Szene

(Kleines Zimmer.
Student liest.
Es klopft.)

STUDENT Wer ist da?

(Eintritt Graf Lande.)

GRAF LANDE Na, was sagen Sie zum neuen Präsidenten?

STUDENT Sicher hat er die besten Absichten.

GRAF LANDE Was nützt das uns ... Kilman ist Minister geblieben.

STUDENT Wirklich?

GRAF LANDE Haben Sie eine Zigarette? ... Unser Frontbund soll aufgelöst werden.

STUDENT Was? Was sagen Sie?

GRAF LANDE Kilman ...

STUDENT Da muß doch etwas geschehen. Immer reden wir von der großen Tat ...

GRAF LANDE An der Tür kann niemand horchen?

STUDENT Nein ... Was haben Sie?

GRAF LANDE Hier.

STUDENT Die Entscheidung?

GRAF LANDE Lesen Sie.

(Graf Lande gibt Student ein Papier.)

STUDENT Ich und Leutnant Frank?

GRAF LANDE Sie beide.

STUDENT Wann?

GRAF LANDE Kann ich nicht sagen. Sie haben jede Stunde bereit zu sein.

STUDENT Wie rasch das kam.

GRAF LANDE Zögern Sie? Haben Sie sich nicht zweimal freiwillig gemeldet? Können Sie vergessen, daß der gleiche Kilman, der vor acht Jahren an die Mauer gestellt werden sollte, heut als Minister das Vaterland verrät?

STUDENT   Zögern – nein. Es geht mir gegen das Gefühl, auf die Tat zu warten.

GRAF LANDE   Kandare sich anlegen, basta. Sie haben den Treueid geleistet, die vaterländische Sache hat Sie ausgebootet, jetzt heißts richtig vor Anker gehen.

STUDENT   Und wenn wir umstellt werden, gehetzt, gejagt ... vor verschlossenen Grenzen?

GRAF LANDE   Erstens ist das noch zweifelhaft ... Wenn Sie in eine Sackgasse geraten, wird man Ihnen helfen. Erreichen Sie die Grenze, gut. Erreichen Sie sie nicht ... Sie müssen das Opfer bringen ... Im übrigen brauchen Sie nicht daran zu zweifeln, daß die Richter Vernunft haben und für Ihre Motive volles Verständnis zeigen werden.

STUDENT   Darf ich einen Brief für meine Mutter zurücklassen?

GRAF LANDE   Ausgeschlossen. Die nationale Sache darf nicht von Zufällen abhängen. Ich kenne die feigen Kompromißler in unseren Reihen. Die würden uns aus politischer Taktik glatt preisgeben.

STUDENT   Ich verstehe so wenig von Politik. Ich habe auch den Krieg nicht draußen mitgemacht. Ich wurde Soldat, einen Monat später brach alles zusammen. Ich hasse die Revolution, wie ich nie etwas gehaßt habe. Seit einem Tag. Mein Onkel war General. Wir Jungens haben ihn verehrt wie einen Gott. Zuletzt hat er ein Armeekorps geführt. Drei Tage nach der Revolution, ich sitze bei ihm, klingelts. Fletzt ein Gemeiner herein. »Ich bin Soldatenrat. Man hat uns gemeldet, Herr General, Sie provozieren das Volk auf der Straße mit Ihren goldenen Achselstücken. Heute gibts keine Achselstücke mehr. Wir haben alle nackte Schultern.« Mein Onkel stand kerzengerade. »Ich soll meine Achselstücke abliefern?« »Jawohl.« Mein Onkel nimmt den Degen, der auf dem Tisch liegt, zieht ihn aus der Scheide. Ich erschrecke mächtig. Schiebe mich näher, daß ich ihm beistehen kann, da sehe ich, wie der Alte einmal ganz trocken hustet, in seinen

Augen was Feuchtes. »Herr Soldatenrat, vierzig Jahre
lang habe ich den Rock meines Obersten Kriegsherrn in
Ehren getragen. Ich habe einmal erlebt, wie einem Unter-
offizier die Tressen abgerissen wurden zu Schimpf und
Schande. Was Sie heute von mir verlangen, ist das Nied-
rigste, das jemand von mir verlangen kann. Wenn ich
den Rock nicht mehr in Ehren tragen soll, hier ...« Und
dabei bog der Alte den Degen, zerbrach ihn und warf
ihn dem Soldatenrat vor die Füße. Der Soldatenrat war
Herr Kilman ...

GRAF LANDE Dieser Hund ...

STUDENT Am nächsten Tag hat sich mein Onkel erschossen. Auf einem Zettel, den er zurückließ, standen die
Worte: »Ich kann die Schande unseres geliebten Vaterlandes nicht überleben. Möge mein Tod dem verhetzten
Volk die Augen öffnen.«

GRAF LANDE Meine Karriere ist auch futsch. Was sind wir
heute im Vergleich zu dem Gesindel? Steigbügelhalter.
Und in der Gesellschaft immer siebzehn Kilometer hinter
den Geldprotzen ... Wir werden Ihren Onkel rächen.
Der Laden muß geschmissen werden.

(Dunkel.)

Zweite Szene

(Man sieht: Fassade des Grand Hotels.
Die vordere Wand öffnet sich.
Man sieht: Räume des Grand Hotels.)

Schema:

			Grand Hotel									
			Radiostation									
87	88	89	W C	90	91	92	93	94	95	96 offen	97	98
26	27	28	29	30	31	32	33	34	W C	35	36	37
Separé				Vestibül					Klubraum			
Dienstboten- zimmer und Office									Schreib- zimmer			

(Dunkel. Aufleuchtet)

Das Vestibül

(Tanzende Paare.
Dunkel.
Zwischen den einzelnen Szenen sieht man Momente das
Vestibül. Hört Jazzband.
Aufleuchtet)

Dienstbotenzimmer

(Karl Thomas in Kellnerkleidung sitzt am Tisch. Durch
die Tür schaut Frau Meller.)

FRAU MELLER Hier, Jung, ein Beefsteak. Es kam zurück
vom Zimmer. Ich habs rasch aufgewärmt.

KARL THOMAS Dank schön, Mutter Meller. Ich hab grad
noch fünf Minuten Zeit. Um acht Uhr beginnt mein
Dienst.

FRAU MELLER Ich muß auch wieder in die Küche zum

Aufwaschen ... Wie siehst du aus? Ich hätte dich wahrhaftig nicht erkannt. Zehn Jahre jünger. Aber Karl, Karl,
warum lachst du immer?

KARL THOMAS   Nicht erschrecken, Mutter Meller. Brauchst
keine Angst zu haben, daß ich wieder verrückt werde.
Auf allen Stellen, wo ich mich um Arbeit bewarb, frag-
ten mich die Chefs: »Mensch, was haben Sie für eine
Leichenbittermiene? Sie scheuchen uns die Kunden fort.
In unserer Zeit muß man lachen, immer lachen.« Da ging
ich denn, weils Verjüngen nur ein Sport der reichen
Leute ist, zu einem Schönheitskünstler. Hier, die neue
Fassade. Bin ich nicht zum Anbeißen?

FRAU MELLER   Ja, Karl. Du wirst den Mädchen imponieren.
Es war mir unheimlich zuerst ... Was die alles verlangen. Nächstens wird man sich im Kontrakt verpflichten
müssen, zehn Stunden zu lachen beim Schuften ... Na,
iß jetzt, Jung. Ich muß in die Küche zurück.
(Dunkel. Aufleuchtet)

Separé

(Herein Bankier, sein Sohn, Oberkellner, Pikkolo.)

BANKIER   Alles bereit?

OBERKELLNER   Hier das Gedeck. Wünschen Herr Generaldirektor Änderungen.

BANKIER   Gut. Mir persönlich bringen Sie etwas Leichtes,
ich darf nichts Schweres essen, mein Magen ... Vielleicht
Brühe, ein wenig Hühnerfleisch, Kompott, aber unge-
zuckert.

OBERKELLNER   Zu dienen, Herr Generaldirektor.
(Die Kellner hinaus.)

SOHN   Ich zweifle noch.

BANKIER   Warum soll man nicht den Weg über die Frau
kutschieren? Ein Versuch, was liegt daran?

SOHN   Sie soll die pure Einfachheit sein. Neulich hat sie
beim Regierungsbankett aus ihrer Köchinnenepoche Geschichten erzählt.

BANKIER   Das Gesicht von Kilman hätte ich sehen mögen ... Mein Lieber, man hört nicht ungestraft jeden Tag
Exzellenz hin und Exzellenz her. Ja, wenns noch Grafen-
titel und Orden gäbe ... Heute ist die einzige Fundie-
rung Geld. Hat einer die ersten Hunderttausend, hängt er
den Idealismus an den Hutständer. Beruhige dich, er be-
kommt sein Konto, und ich bekomme die billigen Staatskredite.

SOHN   Also wie du meinst.

(Herein Wilhelm Kilman und Frau, begleitet vom Ober-
kellner und vom Kellner Karl Thomas, der beiden die
Überkleidung abnimmt.)

BANKIER   Guten Abend, Herr Minister. Freut mich riesig,
gnädige Frau.

WILHELM KILMAN   Aufgefressen wird man im Dienst. Die
Leute stellen sich immer vor, man säße im Klubsessel und
rauchte dicke Zigarren. Entschuldigen Sie, daß ich mich
verspätet habe. Ich mußte den mexikanischen Gesandten
empfangen.

BANKIER   Wir können wohl beginnen.

(Alle setzen sich an den Tisch.
Oberkellner bringt Speisen, Karl Thomas hilft.)

FRAU KILMAN   Was liegt da neben meinem Teller?

BANKIER   Ein petit rien, gnädige Frau. Ich habe mir er-
laubt, Ihnen eine Rose mitzubringen.

FRAU KILMAN   Eine Rose? Aber ich sehe ein Etui ... Aus
Gold? ... Mit Perlen besetzt? ...

BANKIER   Hier öffnet man ... Dieser Knopf ... Sehn Sie,
die Rose ... La France ... Meine Spezialrose. Ich hoffe,
auch Sie lieben die Sorte ...

FRAU KILMAN   Herr Generaldirektor, wirklich, sehr freundlich, ich kann es nicht annehmen. Was soll ich auch damit anfangen?

WILHELM KILMAN   Aber Herr Generaldirektor ...

BANKIER   Lieber, bester Herr Minister, machen Sie doch
kein Aufhebens. Ich habe da gestern auf einer Auktion
drei von diesen Dingern erstanden, achtzehntes Jahr-

hundert, Louis quatorze, ob ich nun zwei oder drei be-
sitze.

FRAU KILMAN   Sie sind so nett. Wir danken Ihnen für Ihre
Freundlichkeit, bitte, nehmen Sie das Etui zurück.

WILHELM KILMAN   Sie kennen die bösen Zungen. Man muß
selbst den Anschein vermeiden.

BANKIER   Ich bedaure unendlich, daß ich daran nicht gedacht. . . .

WILHELM KILMAN   Also trinken wir auf das Kompromiß.
Emma, bitte, nimm die Rose. Wie sie duftet, diese La
France. Besser als die wirkliche, hahaha ... Das Etui
werden wir, wenn wir Sie besuchen, in Ihrer Vitrine be-
wundern.

BANKIER   Auf Ihr Wohl, gnädige Frau. Ihr Spezielles, Herr
Minister ... Kellner, bringen Sie Mouton Rothschild,
einundzwanziger ...

KARL THOMAS   Jawohl, mein Herr.
(Dunkel. Aufleuchtet)

Radiostation

TELEGRAPHIST   Kommen Sie endlich? Ich habe schon dreimal geläutet.

KARL THOMAS   Ich war unten beschäftigt.

TELEGRAPHIST   Hier das Telegramm für Minister Kilman.
Es wurde auf Befehl des Ministeriums hierher geleitet.

KARL THOMAS   Man hört wirklich die ganze Erde hier?

TELEGRAPHIST   Ist Ihnen das was Neues?

KARL THOMAS   Wen hören Sie jetzt?

TELEGRAPHIST   New York. Große Überschwemmung am
Mississippi gemeldet.

KARL THOMAS   Wann?

TELEGRAPHIST   Jetzt, in dieser Stunde.

KARL THOMAS   Während wir sprechen?

TELEGRAPHIST   Ja, während wir sprechen, durchbricht der
Mississippi die Dämme, flüchten die Menschen.

KARL THOMAS   Und was hören Sie jetzt?

TELEGRAPHIST   Ich habe auf Welle 1100 eingestellt. Ich
höre Kairo. Die Jazzkapelle des Mena House, dem Hotel
bei den Pyramiden. Sie spielt zum Dinner auf. Wollen
Sie mal hören? Ich werde den Lautsprecher einschalten.

LAUTSPRECHER   Achtung! Achtung! Alle Radiostationen der
Welt! Der neue Schlager »Hoppla, wir leben!«
(Man hört Jazzmusik.)

TELEGRAPHIST   Sie können sie auch sehen.
(Auf Scheibe sichtbar Restaurant vom Mena House. Damen und Herren dinieren.)

KARL THOMAS   Kann man auch den Mississippi sehen?

TELEGRAPHIST   Bitte. Wo waren Sie denn, daß Sie sich anstellen wie ein Säugling?

KARL THOMAS   Ach, ich lebte nur auf einem ... Dorf die
letzten Jahre.

TELEGRAPHIST   Hier.

LAUTSPRECHER   Achtung! Achtung! New York. Zahl der
Toten: Achttausend. Chicago bedroht. Weiterer Bericht
folgt in drei Minuten. (Auf der Scheibe sichtbar Szene
beim Dammbruch.)

KARL THOMAS   Unfaßlich! In dieser Sekunde ...

LAUTSPRECHER   Achtung! Achtung! New York. New York.
Royal Shell 104, Standard Oil 102, Rand Mines 116.

KARL THOMAS   Was ist das?

TELEGRAPHIST   Die New Yorker Börse. Petroleum ist ange-
boten ... Ich schalte um. Letzte Nachrichten aus aller
Welt.

LAUTSPRECHER   Achtung! Achtung! Aufruhr in Indien ...
Aufruhr in China ... Aufruhr in Afrika ... Paris Paris
Houbigant, das mondäne Parfüm ... Bukarest Bukarest
Hungersnot in Rumänien ... Berlin Berlin Die elegante
Dame bevorzugt grüne Perücken ... New York New
York Die größten Bombenflugzeuge der Welt erfunden.
Imstande Europas Hauptstädte in einer Sekunde in Schutt
zu verwandeln ... Achtung! Achtung! Paris London Rom
Berlin Kalkutta Tokio New York Der Kavalier trinkt
Mumm Extra Dry ...

KARL THOMAS   Genug, genug. Stellen Sie ab.

TELEGRAPHIST   Ich schalte um.

LAUTSPRECHER *(man hört Hetzrufe)*. He, he, he! feste, feste,
feste! ... er schwimmt! ... Schiebung! *(Eine Glocke.)* Er
kommt los! ... MacNamara, Tonani! MacNamara! ...
Eviva, Eviva ...

TELEGRAPHIST   Sechstagerennen in Mailand ... Jetzt höre
ich was Interessantes. Das erste Passagierflugzeug New
York–Paris funkt, daß einen Passagier Herzkrämpfe beu-
teln. Es ersucht um Verbindung mit Herzspezialisten.
Man will ärztlichen Rat. So, jetzt hören Sie den Herz-
schlag des Patienten.
*(Man hört aus dem Lautsprecher Schläge eines Herzens.
Sieht auf der Fernscheibe:*
Das Flugzeug über dem Ozean. Den Patienten.)

KARL THOMAS   Eines Menschen Herzschlag, mitten über
dem Ozean ...

TELEGRAPHIST   Feine Sache.

KARL THOMAS   Wie wundervoll ist das alles! Und was machen die Menschen damit ... Sie leben wie Hammel,
tausend Jahre hinterdrein.

TELEGRAPHIST   Wir werdens nicht ändern. Ich hab ein Ver-
fahren erfunden, wie man aus Kohle Petroleum macht.
Abgekauft haben sie mein Patent für eine Handvoll Pa-
pierfetzen und dann, was haben sie getan? Vernichtet!
Die Herren Ölmagnaten ... Sie müssen jetzt gehen. Das
Telegramm ist dringend. Wer weiß, was morgen ist. Vielleicht gibts Krieg.

KARL THOMAS   Krieg?

TELEGRAPHIST   Vorläufig dienen diese Apparate dazu, damit die Menschen sich desto raffinierter totschlagen. Was
ist der Clou der Elektrizität? Der elektrische Hinrich-
tungsstuhl. Es gibt Maschinen mit elektrischen Wellen,
wenn man die in London einschaltet, würde morgen Berlin ein Haufen Trümmer sein. Wir werdens nicht ändern.
Los, beeilen Sie sich.

KARL THOMAS   Jawohl.
(*Dunkel. Aufleuchtet*)

Klubzimmer

(*Diskussionsabend der Gruppe der geistigen Kopfarbeiter.*)
DER PHILOSOPH X   Ich komme zum Schluß: Wo Qualität
fehlt, ist der Quantität nichts entgegenzusetzen. Also
lautet mein Gebot: Es heirate niemand unter seinem Niveau. Es trachte vielmehr jeder, seine Nachkommen-
schaft, durch geeignete Gattenwahl, auf ein höheres Niveau, als er selbst innehat, hinaufzuheben. Was aber
trieben wir, meine Herren? Nichts als negative Zuchtwahl. Die unterste, meine Herren, die unterste Bedin-
gung jeder Eheschließung sollte Ebenbürtigkeit sein. Vertrauen wir dem Instinkt. Aber leider ist der Instinkt seit
Jahrhunderten vereinseitigt, so daß es nicht leicht sein
wird, vor mehreren Generationen, also in etwa zweihundert Jahren, Besseres neu emporzuzüchten.
DER LYRIKER Y   Wo steht das bei Marx?
DER PHILOSOPH X   Ich schließe: Die Instinkte müssen ver-
feinert und durchgeistigt werden, sie müssen vom Brutal-
Vitalen immer mehr dem Schlechthin-Überlegenen zustre-
ben.
DER LYRIKER Y   Wo steht das bei Marx?
DER PHILOSOPH X   Nur so ist der arg gesunkenen weißen
Rasse wieder aufzuhelfen. Nur so kann sie höhere Blüten
zeitigen als vorher. Ja, woran erkennt man denn, wird
mancher fragen, ob einer guten Blutes ist? Ja, wer das
bei sich und anderen, aber bei sich vor allem nicht beurteilen kann, dem ist nicht zu helfen. Der ist so in-
stinktlos geworden (*zum Lyriker Y gewandt*), daß ich
ihm persönlich nur dringend das Aussterben anraten
kann. Das ist ja das Große an meiner Akademie der Weis-
heit, daß sie weise macht, daß sie diejenigen, die früher
frischfröhlich fortgezeugt haben, zur Erkenntnis führt,
freiwillig auszusterben. Geschieht dies nun konsequent,

dann wird auch auf diesem Gebiet das Böse durch Gutes
einmal überwunden sein.

RUFE Bravo! Bravo! Zur Geschäftsordnung!

VORSITZENDER Der Lyriker Y hat das Wort.

DER LYRIKER Y Meine Herren. Wir sind hier versammelt
als geistige Kopfarbeiter. Ich möchte doch die Frage stellen, ob das Thema, über das der Herr Philosoph X gesprochen hat, unserer Aufgabe, das Proletariat geistig zu
erlösen, dient. Bei Marx . . .

DER KRITIKER Z Protzen Sie nicht immer damit, daß Sie
Marx gelesen haben.

DER LYRIKER Y Herr Vorsitzender, ich ersuche Sie, mich zu
schützen. Jawohl, ich habe Marx gelesen, und ich finde,
der ist gar nicht so dumm. Gewiß fehlte ihm der Sinn
für jene neue Sachlichkeit, die wir . . .

VORSITZENDER Sie dürfen nicht zur Tagesordnung sprechen. Ich entziehe Ihnen das Wort.

DER LYRIKER Y Dann kann ich ja gehen. Lecken Sie mich
am Arsch! (Geht.)

RUFE Unerhört! Unerhört!

DER PHILOSOPH X Ein Lyriker . . .

DER KRITIKER Z Man sollte ihn zum Psychoanalytiker
schicken. Nach der Analyse wird er aufhören zu dichten.
Nichts als verdrängte Komplexe, die ganze Lyrik.
(Pickel kommt herein.)

PICKEL Zwar glaube ich . . . jedoch, bin ich hier im Hotel
zum grünen Baum? . . .

VORSITZENDER Nein. Geschlossene Gesellschaft.

PICKEL Geschlossen? . . . Zwar glaubt ich, der grüne Baum
. . . jedoch . . .

RUF Stören Sie nicht.

PICKEL Danke gütigst, mein Herr.
(Pickel geht.)

VORSITZENDER Was wünschen Sie, Herr Philosoph X?

DER PHILOSOPH X Ein kurzes Postskriptum, meine Herren.
Exempel beweisen. Der Herr Lyriker Y bezweifelt den
Kausalzusammenhang mit der Aufgabe, die wir uns ge-

stellt haben, das Proletariat geistig zu erlösen. Ungebrochene Instinkte finden sich heute einzig in den sozialen Niederungen. Fragen wir einen Proletarier, fragen wir den Kellner, ich werde den Beweis für meine Theorie erbringen.

RUFE Kellner! Kellner!

(Karl Thomas mit einem Tablett, darauf Flaschen und Gläser, erscheint.)

KARL THOMAS Gleich kommt der Oberkellner.

RUFE Sie sollen bleiben.

KARL THOMAS Ich habe unten Dienst, meine Herren.

DER PHILOSOPH Hören Sie zu, Genosse Kellner, junger Proletarier. Würden Sie mit der ersten besten Frau, die Ihnen begegnet, den Coitus, den geschlechtlichen Verkehr, vollziehen oder würden Sie erst Ihren Instinkt zu Rate ziehen?

(Karl Thomas lacht auf.)

VORSITZENDER Sie haben nicht zu lachen. Die Frage ist ernst. Außerdem sind wir Gäste und Sie Kellner.

KARL THOMAS Ah, erst Genosse Kellner und jetzt den Herrn markieren. Ihr ... Ihr wollt das Proletariat erlösen? Hier im Grand Hotel, was? Wo wart ihr, als es losging? Wo werdet ihr sein? Wieder im Grand Hotel? Eunuchen!

RUFE Unerhört! Unerhört!

(Karl Thomas geht.)

DER PHILOSOPH X Kleinbürgerlicher Ideologe!

VORSITZENDER Wir kommen zum zweiten Punkt der Tagesordnung. Die proletarische Gemeinschaft der Liebe und die Aufgabe der Geistigen.

(Dunkel. Aufleuchtet)

Separé

BANKIER Wo bleiben Sie denn mit dem Likör, Kellner?

KARL THOMAS Verzeihen der Herr, ich wurde aufgehalten.

BANKIER Reichen Sie Zigarren. Rauchen Sie Zigaretten, gnädige Frau?

FRAU KILMAN Danke, nein.

WILHELM KILMAN Dieses Telegramm treibt den Konflikt
auf die Spitze. Uns die Ölkonzessionen zu verweigern!

BANKIER Nur gut, daß ich mit richtigem Riecher meinen
Kunden geraten habe, die Türkenpakete abzustoßen ...
Wie legen Sie eigentlich Ihr Geld an, Herr Minister?

WILHELM KILMAN Pfandbriefe, hahaha. Ich werde mich
hüten zu spekulieren.

BANKIER Wer spricht von Spekulieren? Sie haben schließlich Verpflichtungen, haben zu repräsentieren. Ein Mann
mit Ihren Gaben muß sich unabhängig machen.

WILHELM KILMAN Als Staatsbeamter muß ich ...

BANKIER Daneben sind Sie doch Privatmann. Was gibt
Ihnen denn der Staat? Die paar Batzen. Warum nützen
Sie Ihre Kenntnisse nicht aus? Wehren Sie nicht ab, sogar ein Bismarck, ein Disraeli, ein Gambetta, haben nicht
verschmäht. ...

WILHELM KILMAN Wenn auch ...

BANKIER Ich will Ihnen ein Beispiel sagen. Der Minister-
rat beschloß, die Reportgelder einzuschränken. Da verkaufen Sie rechtzeitig Ihre Papiere. Und wer kann Ihnen
einen Vorwurf machen, wenn Sie etwas mehr verkaufen.
Es braucht ja nicht unter Ihrem Namen zu geschehen.

WILHELM KILMAN Hören Sie auf damit ...

BANKIER Es würde mir eine Ehre sein, Sie zu beraten. Sie
wissen, daß Sie mir vertrauen können.

WILHELM KILMAN Kellner, wo findet die Pressekonferenz
statt?

KARL THOMAS Im Schreibsaal.

WILHELM KILMAN Ist Herr Baron Friedrich unten?

KARL THOMAS Jawohl.

WILHELM KILMAN Sagen Sie dem Herrn Baron, ich erwarte
ihn um Mitternacht im Ministerium.
(Pickel herein.)

PICKEL Wenn ich hier recht bin ... Ich möchte nämlich
... Zwar die Preise ... jedoch ...

BANKIER Wer ist der Mensch?

PICKEL   Ach, Herr Minister ...

WILHELM KILMAN   Ich habe keine Zeit. *(Dreht sich um.)*

PICKEL   Das habe ich nicht von Ihnen erwartet, Herr Minister! Haben wir Sie nicht zum Minister gemacht? ... Zwar wenn auch bei der Präsidentenwahl meine Stimme ... Jedoch Minister, den Posten haben Sie mir zu verdanken ...

(Geht.

Dunkel. Aufleuchtet)

Schreibsaal

(Journalisten schreibend.

Karl Thomas an der Tür.)

BARON FRIEDRICH   Meine Herren, was früher die Aufgabe der Geschichtsschreiber war, die Handlungen, die die Staatsräson erfordert, als einzigen Ausweg, als sittliche Notwendigkeit darzustellen, ist jetzt die Ihre. In dieser schweren Zeit unseres Vaterlandes darf die Regierung erwarten, daß über alle Parteikämpfe hinweg jede Zeitung ihre Pflicht erfüllt. Wir suchen den Krieg nicht. Betonen Sie das immer wieder, meine Herren. Die sogenannten Sanktionen, die man uns geben will, sind besser nicht zu erwähnen. Wir wünschen den Frieden. Aber einmal reißt auch unsere Geduld, meine Herren, wenn das Prestige unseres Staates angetastet wird.

KARL THOMAS   Verzeihen, Herr Baron.

BARON FRIEDRICH   Was gibts?

KARL THOMAS   Der Herr Minister wünscht, daß Sie um Mitternacht ...

(Dunkel. Aufleuchtet)

Hotelzimmer Nr. 96

GRAF LANDE   Ich sah deutlich, wie du mit der Blondine am Nebentisch äugtest.

LOTTE KILMAN   Hast du Angst, daß ich dich mit ihr betrüge?

3. Akt, 2. Szene   83

GRAF LANDE   Mich degoutieren diese Geschichten.

LOTTE KILMAN   Vielleicht degoutiert ihr Männer mich. Vielleicht werdet ihr mir nachgerade langweilig.

GRAF LANDE   Aber Schatz . . .

LOTTE KILMAN   Zärtlich im Bett können nur Frauen sein. Ich leugne es nicht, ich möchte die kleine Puppe verführen.

GRAF LANDE   Du bist betrunken.

LOTTE KILMAN   Das wäre ich vielleicht, wenn du spendabler gewesen wärst.

GRAF LANDE   Lassen wir uns noch eine Flasche Cordon rouge bringen.

LOTTE KILMAN   Bitte. Die kleine Blonde wär mir lieber oder Koks.

GRAF LANDE   Deck dich zu. Ich klingle dem Kellner.
(Dunkel. Aufleuchtet)

Office und Dienstbotenzimmer

(Beim Abendbrot sitzen Oberkellner, Karl Thomas, Hausdiener, Pikkolo.)

OBERKELLNER   Beim Rennen in Paris hat Mussolini den ersten Preis bekommen. Vollblut. Dreijährig.

HAUSDIENER   Sieg zweihundert, Platz vierundachtzig.
(Kellner herein.)

KELLNER   Dreimal Entrecôtes.

OBERKELLNER *(durchs Klappfenster zur Küche rufend)*. Dreimal Entrecôtes . . . Haben Sie wieder gesetzt?

HAUSDIENER   Natürlich. Von dem Zaster hier kann man nicht fett werden.

KELLNER *(herein)*. Sechsmal Suppe Oxtail, Madeira double.

OBERKELLNER   Sechsmal Oxtail, Chef soll doppelt Madeira reintun.

KARL THOMAS   Wonach schmeckt denn die Suppe?

HAUSDIENER   Du willst wohl à la carte speisen?

KELLNER *(herein)*. Zwei Dutzend Austern.

OBERKELLNER   Zwei Dutzend Austern.

KARL THOMAS   Ich verlange keine Austern, aber den Fraß
... Warum tut der Betriebsrat nichts?

HAUSDIENER   Weil er in Ellenbogenfühlung bleiben muß
mit dem Hoteldirektor. Mir ist alles wurscht. Ich erwarte
von niemand nichts. Alles ein Leisten. Vor der Inflation
habe ich mir jede Woche eine Mark gespart. Immer wenn
ich zehn hatte, ging ich auf die Bank und ließ mir einen
Goldfuchs geben. Sonntags putzte ich ihn blank und
Montag trug ich ihn auf die Sparkasse. Sechshundert
Wochen hab ich gespart. Zwölf Jahre. Und was bekam
ich zuguterletzt? Einen Dreck! Siebenhundert Millionen.
Nicht eine Schachtel Zündhölzer konnte ich mir dafür
kaufen ... Unsereiner ist immer der Ausgeschmierte.

OBERKELLNER   Feine Zeche heute im Separé.

KARL THOMAS   Feiner Volksminister.

OBERKELLNER   Davon verstehen Sie nichts. Wenn er mit
dem Bankier speist, wird er wohl seine Gründe haben.
Sonst wäre er kein Minister.

PIKKOLO   Oben der Herr von hunderteins kneift mich immer in den Popo.

OBERKELLNER   Tu nur nicht so, Du. Du weißt, wos was zu
holen gibt. *(Es klingelt.)*

OBERKELLNER   Welche Nummer?

PIKKOLO   Sechsundneunzig.

OBERKELLNER   Karl, gehen Sie nach oben. Der Etagenkell-
ner vertritt mich.

(Dunkel. Aufleuchtet)

Flur

PICKEL *(an der Treppe).* Da steht man nun ... Zwar
glaubt man ... man fährt zwei Tage auf der Eisenbahn
... man freut sich sein ganzes Leben darauf ... in Holzhausen dachte ich, oben ... da würde man doch die
Menschen verstehen, aber oben ists genauso wie mit der
Eisenbahn, wie mit dem Grundstück ... die Atmosphäre ...

(Karl Thomas geht vorüber.)

PICKEL   Herr Kellner! Herr Kellner!

KARL THOMAS   Keine Zeit.

PICKEL   Keine Zeit ...
(Dunkel. Aufleuchtet)

Zimmer Nr. 96

(Es klopft. Karl Thomas herein.)

GRAF LANDE   Wo bleiben Sie so lange? Wirtschaft. Eine
Flasche Cordon rouge. Gut gekühlt.
(Dunkel. Aufleuchtet)

Gesindezimmer

*(Karl Thomas sitzt allein am Tisch, den Kopf in Händen
vergraben. Frau Meller öffnet leise die Türe.)*

FRAU MELLER   Müde, Jungchen?
(Karl Thomas rührt sich nicht.)

FRAU MELLER   Es strengt an den ersten Tag.
*(Karl Thomas springt auf, reißt sich die Krawatte vom
Hals, zieht den Frack aus, wirft ihn in eine Ecke.)*

KARL THOMAS   Da und da und da! ...

FRAU MELLER   Was tust du?

KARL THOMAS   Wach bin ich, so wach, daß ich fürchte, nie
mehr einzuschlafen.

FRAU MELLER   Beruhige dich doch, Karl, beruhige dich.

KARL THOMAS   Beruhigen? Nur ein Lump beruhigt sich. Sag
jetzt Narr, wie Albert zu mir gesagt hat. Ich habe mir
vorgenommen, mich zu gedulden. Einen halben Tag war
ich hier. Ich hab den Alltag gesehen, im Frack und im
Nachthemd. Ihr schlaft! Ihr schlaft! Aufwecken muß
man euch. Ich pfeife auf eure Vernunft! Wenn die Klu-
gen aussehen wie ihr, will ich den Narren spielen! Euch
alle muß man wecken!
(Es klingelt. Pause.)

FRAU MELLER   Karl ...

KARL THOMAS   Mag der Teufel sie bedienen!
  (Es klingelt.)
FRAU MELLER   Separé.
KARL THOMAS   Separé? . . . Kilman? . . . Gut, ich gehe.
  (Karl Thomas zieht sich hastig an.)
FRAU MELLER   Ich komme gleich wieder. Wir sprechen mit-
  einander, Karl.
  (Frau Meller hinaus.)
KARL THOMAS   *(betrachtet Sekunden seinen Revolver).* Die-
  ser Schuß wird alle wecken!
  (Dunkel. Aufleuchtet)

Zimmer Nr. 96

  (Es klopft leise.)
GRAF LANDE   Sofort.
  (Dunkel. Aufleuchtet)

Halbdunkler Korridor

STUDENT   Wo?
GRAF LANDE   Im Separé. Wer geht hinein?
STUDENT   Wir haben gelost. Ich. Leutnant Frank wartet
  im Auto.
GRAF LANDE   Haben Sie den Kellnerfrack an?
STUDENT   *(öffnet den Mantel).* Ja.
GRAF LANDE   Hals- und Beinbruch. Jetzt rasch. Man darf
  Sie nicht verhaften. Haben Sie Pech, dann . . . Sie dürfen
  keine Aussagen machen . . . Hüten Sie sich.
STUDENT   Ich habe mein Ehrenwort gegeben.
  (Dunkel. Aufleuchtet)

Separé

WILHELM KILMAN   Großartig, dieser Witz, großartig. Schauen
  Sie nur meine Frau an. Wie rot sie wird. Dabei versteht
  sie nichts, hahaha.

BANKIER   Kennen Sie den von Herrn Meyer im Eisenbahn-
kupee?

WILHELM KILMAN   Erzählen Sie.

(Herein Karl Thomas.)

BANKIER   Endlich der Kellner. Noch eine Flasche Kognak
... Was stehen Sie? Was schauen Sie mich an? Haben
Sie nicht verstanden?

KARL THOMAS   Du kennst mich nicht?

WILHELM KILMAN   Wer sind Sie?

KARL THOMAS   Nenn mich getrost Du. Als wir aufs Massengrab warteten, standen wir nicht auf Sie. Du schämst
dich wohl meiner Bekanntschaft?

WILHELM KILMAN   Sie sinds ... Reden Sie nicht wirres
Zeug. Kommen Sie morgen ins Ministerium.

KARL THOMAS   Du wirst dich heute verantworten.

WILHELM KILMAN   *(zum Bankier).* Lassen Sie. Ein Phantast,
den ich von früher kenne. Durch eine romantische Episode seiner Jugend aus dem Geleis geworfen. Findet keinen festen Halt mehr.

KARL THOMAS   Ich warte auf Antwort.

WILHELM KILMAN   Wozu? Was begreifen Sie? Was begreifst
du? Soll ich dir von neuem erzählen, daß die Zeiten
sich geändert haben. Eher verfluchst du die Welt, als
deine unsinnigen Forderungen preiszugeben, eher verfluchst du die Menschen, die sie ein Stück vorwärtsbrin-
gen wollen.

KARL THOMAS   Du ...

WILHELM KILMAN   Bitte laß Phrasen, sie wirken nicht.

BANKIER   Soll ich nicht lieber den Hoteldirektor rufen?

WILHELM KILMAN   Um Gottes willen keine Szene.

BANKIER   Beruhigen Sie sich doch, Herr Kellner. Es geht
Ihnen schlecht, ja? Hier, nehmen Sie zehn Mark.

WILHELM KILMAN   Darf ich zehn Mark zulegen?

*(Karl Thomas, der mit der einen Hand den Revolver in
der Tasche umkrallt, sieht fassungslos auf das Geld,
zuckt, angewidert, die Schultern, so als wenn er der Tat
müde wäre, und will sich umdrehen.)*

KARL THOMAS   Es lohnt sich nicht. Du wirst mir grenzen-
los gleichgültig.
(Da öffnet sich leise die Tür.
Student im Kellnerfrack kommt herein.
Hebt den Revolver über Karl Thomas' Schulter.
Dreht das elektrische Licht aus.
Schuß.
Schrei.)
BANKIER   Licht! Licht! Der Kellner hat auf den Minister
geschossen.

(Vorhang.)

Vierter Akt

Erste Szene

(Links vom Hotel. Am Park.
Hinter dem Studenten rennt Karl Thomas.)

KARL THOMAS   Du! Du!

(Student dreht den Kopf, rennt weiter.)

KARL THOMAS   Du, ich will dir helfen, Genosse.

STUDENT   Was, Genosse! Bin nicht Ihr Genosse.

KARL THOMAS   Aber Sie haben doch auf Kilman ...

STUDENT   Weil er ein Bolschewik, weil er ein Revolutionär
ist. Weil er unser Land an die Juden verkauft.

(Karl Thomas macht fassungslos einen Schritt auf ihn zu.)

KARL THOMAS   Ist die Welt ein Irrenhaus geworden? Ist
die Welt ein Irrenhaus geworden!!!

STUDENT   Zurück, oder ich schieße Sie über den Haufen!

(Student rennt davon, springt in ein Auto, das lossaust.
Karl Thomas begreift, reißt den Revolver aus der Tasche,
schießt zweimal hinterher. Dann besinnt er sich, bleibt
vor einem Baum stehen.)

KARL THOMAS   Bist du eine Buche? Oder bist du eine Gum-
miwand? *(Betastet sie.)* Anfühlst du dich wie Rinde,
rauh und rissig, und riechen tust du nach Erde. Aber bist
du wirklich eine Buche?

(Setzt sich auf eine Bank.)

Mein armer Kopf. Trommelfeuer. Steigen Sie auf, ver-
ehrtes Publikum. Die Glocke schellt. Die Fahrt beginnt.
Ein Schuß die Runde.

Du siehst ein Haus brennen, packst den Eimer, willst lö-
schen, und anstatt Wasser gießt du Öl fuderweise in die
Flammen ...

Du läutest Sturm über der Stadt zum großen Wecken,
aber die Schläfer legen sich auf den Bauch und schnar-
chen weiter ...

Wo die andern Nacht umfängt mit braunen Schatten, seh

ich den Mörder sich ducken, nackt und mit entblößtem
Hirn ...
Und renne als ein Wacher durch die Straßen, mit Gedan-
ken, die im Kegel des Jupiterlichts sich wundstoßen ...
Ach, warum öffneten sie mir das Tor des Irrenhauses?
War es nicht gut drinnen trotz Nordpol und Flügelschlag
der grauen Vögel?

> Ich bin der Welt abhanden gekommen
> Die Welt ist mir abhanden gekommen

*(Während der letzten Sätze sind zwei Kriminalpolizisten
gekommen. Beide gehen auf ihn zu, packen ihn bei den
Handgelenken.)*

ERSTER POLIZIST   Na, junger Mann, den Revolver haben
Sie wohl eben gefunden?

KARL THOMAS   Was weiß ich? Was weißt du? Sogar der Revolver kehrt sich gegen den Täter, und aus dem Lauf
spritzt Gelächter.

ZWEITER POLIZIST   Sprechen Sie mal anständig, verstanden.

ERSTER POLIZIST   Wie heißen Sie?

KARL THOMAS   Jeder Name ist Schwindel ... Sehen Sie, ich
habe mal geglaubt, wenn ich den Weg gehe, schnurgerade
durch den Park, komme ich ins Hotel. Eine Tasse Kaffee.
Fünfzig Pfennige. Wissen Sie, wo man landet? Im Irrenhaus. Und die Polizei paßt auf, daß keiner gesund
wird.

ERSTER POLIZIST   Das möchte Ihnen so passen. Sie sind verhaftet.

ZWEITER POLIZIST   Leisten Sie keinen Widerstand. Bei
Fluchtversuch knallts.

KARL THOMAS   Lassen Sie mich.

ERSTER POLIZIST   Im Gegenteil. Seien Sie froh, daß wir Sie
beschützen. Das Volk würde Sie lynchen.

ZWEITER POLIZIST   Geben Sie zu, daß Sie auf den Minister
geschossen haben?

KARL THOMAS   Ich?

ERSTER POLIZIST Ja, Sie.
ZWEITER POLIZIST Los zur Wache.

(Dunkel.
Man hört Geschrei einer Volksmenge.)

Zweite Szene

(Polizeipräsidium.
Zimmer des Polizeiobersten.
Am Tisch Polizeioberst. Scharfes Klingeln.)
POLIZEIOBERST *(am Telephon).* Hallo? Was gibts? ... Was?
.. Attentat im Grand Hotel auf Minister Kilman? ...
Der Minister tot? ... Grand Hotel absperren ... Straßen
säubern. ... Ein Verdächtiger verhaftet? ... Hertrans-
portieren lassen ... Ich warte ... *(Hängt ab. Zur Sekre-
tärin.)* Bleiben Sie. Sie müssen protokollieren. *(Telepho-
niert.)* Sämtliche Stationen in Bereitschaft ... Danke ...
Anruf bei Zwischenfällen ... Natürlich von links ...
Demonstrationen unterdrücken ... Schluß ...
(Inzwischen ist Polizei mit Pickel hereingekommen.)
PICKEL *(zum Polizisten).* Sie haben mich nicht so anzufas-
sen, Herr ... Wer sind Sie überhaupt? Zwar leben Sie in
einer Großstadt, wo es Gesindel gibt, jedoch Sie sollten
unterscheiden.
POLIZEIOBERST Was gibts?
POLIZIST Der Mann trieb sich im Korridor des Grand Ho-
tels herum ... Kurz vor dem Attentat war er im Zim-
mer des Ministers. Er wohnt nicht im Hotel, benimmt
sich verdächtig und kann nicht angeben, warum ...
POLIZEIOBERST Gut. Wie heißen Sie?
PICKEL Zwar heiße ich Pickel, jedoch ...
POLIZEIOBERST Antworten Sie auf meine Fragen.
PICKEL Ich möchte nämlich ...
POLIZEIOBERST Sie waren im Zimmer des ermordeten Mi-
nisters kurz vor dem Attentat. Was wollten Sie dort?

PICKEL   Ich habe ihn ... Zwar, Herr General, ich habe geglaubt, der Herr Minister sei ein Ehrenmann gewesen ...
Jedoch, wie ich zu ihm ins Hotelzimmer kam ...

POLIZEIOBERST   Sie geben zu, an der Tat beteiligt zu sein?
Sie hatten einen persönlichen Zorn auf den Minister?

PICKEL   Ich wollte nämlich ...

POLIZEIOBERST   Was wollten Sie? Sind Sie Anarchist? Gehören Sie einem illegalen Verband an?

PICKEL   Die ehemaligen Frontsoldaten haben nämlich ...
Obschon ich nur in der Etappe ... Dem Kriegerverein.
Herr General.

POLIZEIOBERST   Dem Kriegerverein? ... Können Sie das
beweisen?

PICKEL   Jawohl. Hier ist meine Mitgliedskarte.

POLIZEIOBERST   Ach so ... Sie sind ein Vaterländischer? ...
Darum ... Erzählen Sie, warum Sie den Minister ermordeten.

PICKEL   Ich glaubte ... Ich wäre durchs Feuer für ihn gegangen ...

POLIZEIOBERST   Achten Sie auf meine Frage.

PICKEL   Nämlich ... ich kam doch nur wegen der Eisenbahn ... Und da bin ich in das Ministerium ... Und
mehr habe ich nicht ...

POLIZEIOBERST   Zur Sache.

PICKEL   Ach, Herr General, lassen Sie mich nach Hause
fahren ... Das Wetter ändert sich ... Jetzt könnte ich
reisen ... Und meine Kühe ... Meine Frau hat immer gesagt ...

(Telephon klingelt.)

POLIZEIOBERST *(am Telephon).* Polizeipräsidium ... Sie haben die Tatzeugen vernommen? ... Ein Mann im Kellnerfrack? ... Moment ... Pickel, ziehen Sie Ihren Mantel aus.

PICKEL   Ich trage nämlich ...

POLIZEIOBERST   Gehrock ... Aha ...

PICKEL   Jedoch nur, weil ich ...

POLIZEIOBERST   Seien Sie ruhig. *(Ins Telephon.)* ... Danke

... Sekretärin, nehmen Sie die Personalien Pickels
auf ...

SEKRETÄRIN Sie heißen? Vatersname und Vorname?

PICKEL Traugott Pickel heiße ich, mein Fräulein ... Als
Knabe hieß ich Gottlieb ... jedoch eigentlich heiße ich
Traugott ... Nämlich der Beamte auf dem Standesamt,
der sich mit meinem Vater ... als sie noch gut waren,
spielten sie jeden Abend ...
(Kriminalbeamte herein.)

POLIZEIOBERST Was gibts?

ERSTER KRIMINALPOLIZIST Wir haben einen Mann im Stadt-
park verhaftet. In der Hand trug er einen Revolver.
Zwei Kugeln fehlen.

POLIZEIOBERST Hereinführen.
(Kriminalbeamte mit Karl Thomas herein.)

POLIZEIOBERST Sie heißen?

KARL THOMAS Karl Thomas.

POLIZEIOBERST Was wollten Sie mit diesem Revolver? ...

KARL THOMAS Den Minister erschießen.

POLIZEIOBERST Das geht ja rasch ... Der zweite ... Also
Geständnis ... Gehören Sie auch dem Kriegerverein des
Herrn Pickel an?

KARL THOMAS Dem Kriegerverein? ...

PICKEL Herr General, ich muß bemerken, daß unser Kriegerverein in Holzhausen ... Zwar wir nehmen überhaupt
keine Ausländer auf ... nicht mal die aus dem Nach-
bardorf ... jedoch nur der Herr Reichspräsident ist
Ehrenmitglied ...

POLIZEIOBERST Schweigen Sie ... *(Zum Polizisten.)* Wie
sieht der Mann denn aus?

ZWEITER KRIMINALPOLIZIST Das Volk wollte ihn lynchen.
Wir konnten die Menge kaum zurückhalten.

POLIZEIOBERST Setzen Sie sich. Erzählen Sie, warum Sie den
Minister erschossen haben.

KARL THOMAS Ist er tot?

POLIZEIOBERST Ja.

KARL THOMAS Ich habe nicht geschossen.

POLIZEIOBERST   Sie müssen doch zugeben, daß Sie eben gestanden haben ...

PICKEL   Nein, Herr General, da irren Sie sich. Ich kenne ihn. Er ist nämlich ein Freund des Ministers ...

POLIZEIOBERST   Was reden Sie immer dazwischen?

PICKEL   Weil Sie mir nicht glauben ... Ich bin nämlich der Kassierer vom Kriegerverein. Und unsere Statuten ...

POLIZEIOBERST   Ich lasse Sie gleich abführen. *(Zu Thomas.)* Sie sahen in dem Minister einen Schädling, ja? Einen Landesverräter?

KARL THOMAS   Der Mörder meinte, er sei es.

POLIZEIOBERST   Der Mörder?

KARL THOMAS   Ich lief hinter ihm her. Ich habe auf ihn geschossen.

POLIZEIOBERST   Was reden Sie für wirres Zeug?

PICKEL   Wenn ers sagt, Herr General ...
(Kriminalbeamter geht zum Polizeioberst, spricht leise mit ihm.)

POLIZEIOBERST   Den Eindruck macht er auch auf mich. Übrigens der andere, der Pickel, auch ... Beide dem Dezernat Eins überstellen ... Ich komme gleich hinüber ... *(Am Telephon.)* Verbinden Sie mich mit dem Staatsanwalt ...

PICKEL   Herr General ... ich möchte nämlich ... ich möchte fragen ...

POLIZEIOBERST   Was gibts noch?

PICKEL   Es ist beschlossen, Herr General? Ich soll ins Gefängnis?

POLIZEIOBERST   Ja.

PICKEL   Zwar ... Dann ... Nämlich in Holzhausen ... Und wenn sie es erfahren ... Und wenn meine Frau ... Und wenn mein Nachbar ... der mit dem Bürgermeister verwandt ist ... Und wenn der Kriegerverein ... Wissen Sie, was Sie tun? ... Jetzt bin ich vorbestraft. Wohin soll ich, wenn ich aus dem Gefängnis komme? Wohin? Ich darf mich ja nicht mehr sehen lassen in Holzhausen ...

POLIZEIOBERST Wenn sich herausstellt, daß Sie unschuldig sind, können Sie heimreisen.

PICKEL Jedoch vorbestraft ...

POLIZEIOBERST Ich habe keine Zeit. *(Am Telephon.)* Verbinden Sie mich mit dem Staatsanwalt.

PICKEL Auch keine Zeit ... Weiße Handschuhe, schwarze Handschuhe ... Woran soll man noch glauben? ...

(Dunkel.)

Dritte Szene

Zimmer des Untersuchungsrichters

(Am Tisch Untersuchungsrichter und Schreiber. Vor dem Tisch Karl Thomas gefesselt.)

UNTERSUCHUNGSRICHTER Sie erschweren sich nur Ihre Lage. Es haben Zeugen ausgesagt, daß Sie in der Wirtschaft zum Bären die Absicht äußerten, den Minister zu ermorden.

KARL THOMAS Das leugne ich nicht. Aber ich habe nicht geschossen.

UNTERSUCHUNGSRICHTER Sie gestehen die Absicht ein ...

KARL THOMAS Die Absicht ja.

UNTERSUCHUNGSRICHTER Der Zeuge Rand soll eintreten. *(Rand herein.)*

UNTERSUCHUNGSRICHTER Herr Rand, kennen Sie den Beschuldigten?

RAND Zu Befehl.

UNTERSUCHUNGSRICHTER Ist das der gleiche Mann, der bei jenem Überfall im Wahllokal Ihren Revolver an sich nahm?

RAND Zu Befehl.

UNTERSUCHUNGSRICHTER Thomas, was sagen Sie dazu?

KARL THOMAS Ich bestreite es nicht. Aber ...

RAND Wenn ich mir eine Meinung erlauben dürfte, die Juden stecken dahinter.

UNTERSUCHUNGSRICHTER   Sie haben nicht geschossen, Rand?

RAND   Zu Befehl, nein. Es müssen alle Kugeln in der Trommel stecken.

UNTERSUCHUNGSRICHTER   Es fehlen zwei. Das ist doch Ihr Revolver?

RAND   Mein Dienstrevolver, Herr Untersuchungsrichter.

UNTERSUCHUNGSRICHTER   Wollen Sie die Tat immer noch leugnen, Thomas? Wollen Sie Ihr Gewissen nicht durch ein Geständnis erleichtern?

KARL THOMAS   Ich habe nichts zu gestehen, ich habe nicht geschossen.

UNTERSUCHUNGSRICHTER   Wie erklären Sie das Fehlen der beiden Kugeln?

KARL THOMAS   Ich habe auf den Attentäter gefeuert.

UNTERSUCHUNGSRICHTER   So, auf den Attentäter gefeuert. Jetzt fehlt nur noch der große Unbekannte. Kennen Sie vielleicht den geheimnisvollen Täter, der, wie Sie angeben, hinter Sie ins Zimmer trat und schoß.

KARL THOMAS   Nein.

UNTERSUCHUNGSRICHTER   Na, also, der berühmte Herr X.

KARL THOMAS   Es war einer von rechts. Er hats selbst gesagt. Ich lief hinter ihm her. Ich dachte, es wäre ein Genosse.

UNTERSUCHUNGSRICHTER   Reden Sie keinen Unsinn. Wollen Sie die Spuren Ihrer Hintermänner verwischen? Wir kennen sie, diesmal gibts keine Amnestie. Ihre intimeren Genossen stecken hinter Schloß und Riegel ... Der Oberkellner aus dem Grand Hotel soll hereinkommen. *(Oberkellner herein.)*

UNTERSUCHUNGSRICHTER   Kennen Sie den Beschuldigten?

OBERKELLNER   Jawohl, mein Herr. Er war doch Hilfskellner im Grand Hotel. Wenn ich gewußt hätte, mein Herr, daß ...

UNTERSUCHUNGSRICHTER   Hat der Beschuldigte auf Herrn Minister Kilman geschimpft?

OBERKELLNER   Jawohl, mein Herr, er hat gesagt, ein schöner Volksminister. Nein, ein feiner Volksminister, hat er gesagt.

UNTERSUCHUNGSRICHTER Thomas, haben Sie das gesagt?

KARL THOMAS Ja, aber geschossen habe ich nicht.

UNTERSUCHUNGSRICHTER Frau Meller soll hereinkommen. *(Frau Meller herein.)*

UNTERSUCHUNGSRICHTER Sie kennen den Beschuldigten?

FRAU MELLER Ja, er ist mein Freund.

UNTERSUCHUNGSRICHTER So, Ihr Freund. Sie nennen sich seine ... Genossin?

FRAU MELLER Ja.

UNTERSUCHUNGSRICHTER Sie haben den Beschuldigten dem Oberkellner des Grand Hotel empfohlen?

FRAU MELLER Ja.

UNTERSUCHUNGSRICHTER Der Beschuldigte soll zu Ihnen gesagt haben: »Ihr schlaft alle! Es muß einer hinwerden. Dann werdet ihr aufwachen.«

FRAU MELLER Nein.

UNTERSUCHUNGSRICHTER Nehmen Sie sich zusammen, Zeugin. Sie stehen im Verdacht der Beihilfe. Sie haben dem Beschuldigten eine Stelle im Grand Hotel verschafft. Die Anklagebehörde nimmt an, daß diese Stellung nur eine Scheinstellung war. Der Beschuldigte sollte Gelegenheit erhalten, in die Nähe des Ministers zu kommen.

FRAU MELLER Wenn Sie alles besser wissen, dann verhaften Sie mich doch.

UNTERSUCHUNGSRICHTER Ich frage Sie zum letztenmal: hat der Angeklagte gesagt, es muß einer hinwerden?

FRAU MELLER Nein.

UNTERSUCHUNGSRICHTER Der Pikkolo soll hereinkommen. *(Pikkolo herein.)*

UNTERSUCHUNGSRICHTER Kennen Sie den Angeschuldigten?

PIKKOLO Bitte schön, ja. Er hat gleich, wie er die Teller hereintragen sollte, einen zerbrochen und mir gesagt, ich soll die Scherben verstecken, aber so, daß sie keiner findet.

UNTERSUCHUNGSRICHTER Das ist sehr interessant. Haben Sie das getan?

KARL THOMAS Ja.

UNTERSUCHUNGSRICHTER Das wirft auf Ihren Charakter ein eigentümliches Licht ... Pikkolo, passen Sie gut auf. Haben Sie gehört, wie der Beschuldigte sagte: »Ihr schlaft alle! Es muß einer hinwerden. Dann werdet ihr aufwachen?«

PIKKOLO Bitte schön, ja, und dabei hat er die Augen gekullert und die Fäuste geballt, ganz blutrünstig hat er dreingeschaut, solche Gesichter habe ich nur im Kino gesehen. Ich hab mich gegrault.

UNTERSUCHUNGSRICHTER Wo hielten Sie sich denn auf?

PIKKOLO Ich ... ich ... ich ...

UNTERSUCHUNGSRICHTER Sie müssen schon die Wahrheit sagen.

PIKKOLO *(beginnt zu weinen, wendet sich vom Untersuchungsrichter weg zum Oberkellner).* Herr Ober, ich werds nicht mehr tun, ich hab Ihnen doch gesagt, ich möcht mal austreten, ich bin gar nicht austreten gegangen, ich war so müde, ich hab mich unter den Tisch gelegt und hab ein bißchen schlafen wollen ... Herr Ober, bitte melden Sies nicht dem Chef ...

UNTERSUCHUNGSRICHTER *(lachend).* Es wird nicht so schlimm werden ... Thomas, was sagen Sie zu den Aussagen?

KARL THOMAS Daß ich allmählich den Eindruck bekomme, ich befinde mich in einem Irrenhaus.

UNTERSUCHUNGSRICHTER So, in einem Irrenhaus. Die Zeugen können abtreten. Frau Meller, Sie sind vorläufig festgenommen. Führen Sie sie ab.

(Zeugen gehen.)

UNTERSUCHUNGSRICHTER Die verhaftete Eva Berg vorführen.

(Eva Berg herein.)

UNTERSUCHUNGSRICHTER Sie heißen Eva Berg?

EVA BERG Guten Tag, Karl ... Ja.

UNTERSUCHUNGSRICHTER Sie dürfen mit dem Beschuldigten nicht sprechen.

EVA BERG Die Hand kann ich ihm nicht geben, Sie müssen ihm erst die Fesseln abtun. Wozu fesseln Sie ihn?
Glauben Sie, daß er fliehen wird? Draußen steht ein
Dutzend Wärter. Oder haben Sie Angst vor ihm? Sehr
tapfer scheinen Sie nicht zu sein. Oder wollen Sie ihn
nur einschüchtern? Sie werden sich täuschen, nicht, Karl?

UNTERSUCHUNGSRICHTER Ich lasse Sie sofort abführen,
wenn Sie Ihren Ton nicht ändern.

EVA BERG Ich zweifle nicht daran, daß Sie dazu den Mut
aufbringen ... Ich warte darauf, daß Sie mich freilassen.

UNTERSUCHUNGSRICHTER Dazu bin ich nach dem Gesetz
nicht befugt.

EVA BERG Wo es Ihnen paßt, verschanzen Sie sich hinter
das Gesetz. Seit Wochen stecke ich in Haft. Ich habe
die Rechte ausgeübt, die die Verfassung jedem gewährt.
Da öffentliche Rechte öffentliche Pflichten sind, müßten
Sie eher Ihr Richteramt niederlegen, als zulassen, daß
das Gesetz verletzt werde.

UNTERSUCHUNGSRICHTER Ich habe an Sie zwei Fragen zu
richten: Wohnte der Beschuldigte bei Ihnen?

EVA BERG Ja.

UNTERSUCHUNGSRICHTER Standen Sie zu ihm in strafba-
ren Beziehungen?

EVA BERG Was ist das für eine lächerliche Frage? Stammen Sie aus dem fünfzehnten Jahrhundert?

UNTERSUCHUNGSRICHTER Ich will wissen, ob Sie in geschlechtlichen Beziehungen zu dem Beschuldigten standen?

EVA BERG Wollen Sie mir nicht erst erklären, wie ein un-
geschlechtliches Beisammensein ausschaut?

UNTERSUCHUNGSRICHTER Sie stammen aus anständiger Familie ... Ihr Vater würde ...

EVA BERG Meine Familie geht Sie einen Pfifferling an.
Und Ihre Frage halte ich für derart unanständig, daß
ich mich schämen müßte, würde ich sie beantworten.

UNTERSUCHUNGSRICHTER   Auf die zweite Frage verweigern
Sie also die Aussage ... Hat der Beschuldigte, während
er bei Ihnen wohnte, die Absicht geäußert, den Minister
Kilman zu ermorden?

EVA BERG   Ich glaube, wir kennen uns von früher, Herr
Untersuchungsrichter ... Sie beliebten daran zu erinnern
... Würden Sie einen Klubfreund, der Kameraden verrät, nicht zu den jämmerlichsten Lumpen zählen? Also
ist auch Ihre dritte Frage unanständig, da Sie an die
Wahrscheinlichkeit des Gesprächs glauben. Aber ich
schwöre, bei jener Ehre, die Sie mir weder nehmen noch
geben können, Karl Thomas hat nie die Absicht geäußert, Kilman zu ermorden.

UNTERSUCHUNGSRICHTER   Danke. Abführen.

EVA BERG   Leb wohl, Karl. Laß dich nicht unterkriegen.

KARL THOMAS   Ich liebe dich, Eva.

EVA BERG   Auch in dieser Stunde darf ich dich nicht be-
lügen.

(Eva Berg wird abgeführt.)

UNTERSUCHUNGSRICHTER   Ich habe Ihren Akten entnom-
men, daß Sie acht Jahre im Irrenhaus waren. Zwecks
Feststellung Ihrer Zurechnungsfähigkeit werden Sie der
Psychiatrischen Abteilung überwiesen.

(Dunkel.)

Vierte Szene

*(Die Fassade verwandelt sich in die Fassade des Irren-
hauses. Offen)*

Untersuchungsraum

PROFESSOR LÜDIN   Sie wurden mir vom Staatsanwalt zur
psychiatrischen Behandlung überwiesen ... Bleiben Sie
stehen. Puls normal. Hemd öffnen. Tief atmen. Anhal-

ten. Herz gesund ... Sagen Sie mir ehrlich, warum Sie
die Tat begingen?

KARL THOMAS Ich habe nicht geschossen.

PROFESSOR LÜDIN *(blättert in Akten)*. Die Polizei hat Sie
zuerst für einen Mann gehalten, der aus nationalistischen
Motiven die Schüsse feuerte. Sie glaubte, ein gewisser
Pickel sei Ihr Komplize. Die Untersuchungsbehörde kam
zu dem Ergebnis, daß diese Annahme falsch sei. Sie vertritt die Auffassung, Sie gehören einem linksradikalen,
terroristischen Verband an ... Ihre Gesinnungsgenossen
wurden verhaftet ... Ich allerdings meine ... Vertrauen
Sie sich mir getrost an, mich interessieren nur Ihre Motive.

KARL THOMAS Ich kann nichts gestehen, wenn ich nicht
der Täter bin.

PROFESSOR LÜDIN Sie wollten sich rächen, nicht wahr?
Wahrscheinlich glaubten Sie, der Minister würde Ihnen
eine hohe Stellung geben. Sie sahen, daß die Herren Genossen, wenn sie mal oben sitzen, auch nur die eigene Suppe kochen. Sie fühlten sich enttäuscht, zurückgesetzt? Die
Welt sah anders aus, als sie sich in Ihrem Kopf malte?

KARL THOMAS Ich brauche keinen Psychiater.

PROFESSOR LÜDIN Sie fühlen sich gesund?

KARL THOMAS Kerngesund.

PROFESSOR LÜDIN Hm. Diese Vorstellung beherrscht Sie
immer? Ich glaube mich zu erinnern, Ihre Mutter hat
auch an diesem Komplex gelitten.

(Karl Thomas lacht.)

PROFESSOR LÜDIN Lachen Sie nicht. Kerngesund ist niemand.

(Kurze Pause.)

KARL THOMAS Herr Professor!

PROFESSOR LÜDIN Wollen Sie mir jetzt gestehen, warum
Sie geschossen haben? Begreifen Sie, nur das Warum interessiert mich. Die Tat geht mich nichts an. Taten sind
belanglos. Einzig die Motive sind wichtig.

KARL THOMAS Ich will Ihnen alles genau erzählen, Herr

Professor. Ich kenn mich nicht mehr aus. Was habe ich erlebt ... Darf ich Ihnen erzählen, Herr Professor? ...

PROFESSOR LÜDIN   Beginnen Sie doch.

KARL THOMAS   Ich muß Klarheit haben. Die Tür knallte hinter mir zu, und als ich sie öffnete, waren acht Jahre vergangen. Ein Jahrhundert. Ich besuchte zuerst, wie Sie mir geraten haben, Wilhelm Kilman. Zum Tode verurteilt wie ich. Ich sah ihn als Minister. Versippt mit den Feinden von einst.

PROFESSOR LÜDIN   Normal. Der war eben schlauer als Sie.

KARL THOMAS   Ich kam zu meinem besten Kameraden. Einem Kerl, der mit dem Revolver in der Hand eine Kompanie Weißer zurücktrieb, allein. Mein Ohr hörte ›Man muß warten können‹.

PROFESSOR LÜDIN   Normal.

KARL THOMAS   Und der dabei schwur, er sei der Revolution treu geblieben.

PROFESSOR LÜDIN   Anormal. Aber nicht Ihr Fehler. Man müßte ihn untersuchen. Wahrscheinlich leichte dementia praecox in katatonischer Form.

KARL THOMAS   Ich war Kellner. Einen Abend lang. Es stank nach Korruption. Die Kollegen fanden es in Ordnung und waren stolz darauf.

PROFESSOR LÜDIN   Normal. Die Geschäfte blühen wieder. Jeder verdient daran auf seine Weise.

KARL THOMAS   Das nennen Sie normal?! Im Hotel traf ich einen Bankier, man sagte mir, er scheffle Geld wie Heu ... Was hat er davon? Nicht mal den Wanst mit Delikatessen füllen kann er sich. Wenn die anderen Fasanen futtern, muß er Brühe löffeln, weil ihn der Magen kneift. Tag und Nacht spekuliert er. Wozu? Wozu?

(Hinter dem Projektionsbild leuchtet das Separé im Hotel auf.)

BANKIER *(am Tischtelephon).* Hallo! Hallo! Börse? Alles verkaufen! Farben und Kali und Röhren ... Das Attentat auf Kilman ... Chemische Werke schon wieder um hundert Prozent gefallen ... Was? ... Amt! ... Fräu-

lein, warum unterbrechen Sie mich? . . . Ich werde Sie
haftbar machen . . . Ruiniert durch eine Telephonstörung
. . . Vater im Himmel!

PROFESSOR LÜDIN Wozu? Weil er tüchtig ist, weil er etwas
leisten will. Lieber Freund, der Bankier, den Sie sahen,
ich wünsche mir sein Vermögen, war normal.

BANKIER *(im Hotelzimmer grinsend).* Normal . . . Normal
. . . *(Hotelzimmer dunkel.)*

KARL THOMAS Und der Hausdiener im Grand Hotel?
Zwölf Jahre hat er sich jede Woche einen Goldfuchs
gespart. Zwölf Jahre! Dann kam die Inflation, ausge-
zahlt wurden ihm sechshundert Millionen, und kaufen
konnte er sich vom Ersparten nicht mal eine Schachtel
Zündhölzer. Aber er wurde nicht kuriert, er hält den
Schwindel für unabänderlich, heute spart er sich die
Brocken vom Mund und verwettet seinen letzten Groschen. Ist das normal?

*(Hinter dem Projektionsbild leuchtet das Gesindezimmer
im Hotel auf.)*

HAUSDIENER Wer hat im Pariser Rennen gewonnen? Die
schöne Galathee . . . Schiebung! Schiebung! Ich habe alle
meine Ersparnisse auf Idealist gesetzt, und nun bricht
sich dieser verdammte Jockey das Genick . . . Ich will
meinen Einsatz wiederhaben! Sonst . . .

PROFESSOR LÜDIN Wer nicht wagt, nicht gewinnt. Der
Hausdiener im Grand Hotel, ich habe früher dort ge-
wohnt, ist absolut normal.

HAUSDIENER *(im Hotelzimmer, indem er sich mit seinem
Messer ersticht, grinsend).* Normal . . . Normal . . .
(Hotelzimmer dunkel.)

KARL THOMAS Vielleicht nennen Sie auch eine Welt normal, in der es möglich ist, daß die wichtigsten Erfindungen, die den Menschen das Leben leichter machen könnten, vernichtet werden, nur weil irgendwelche Leute
fürchten, daß sie dann nicht mehr so viel verdienen?

*(Hinter dem Projektionsbild leuchtet die Radiostation im
Hotel auf.)*

TELEGRAPHIST   Achtung! Achtung! Alle Radiostationen der
Welt. Wer kauft meine Erfindung? Ich will kein Geld,
allen wird die Erfindung helfen, allen. Schweigen ...
Keiner antwortet.

PROFESSOR LÜDIN   Was soll daran anormal sein. Das Leben
ist keine Wiese, auf der die Menschen Ringelreihen tanzen und Friedensschalmeien blasen. Das Leben ist Kampf.
Wer die stärksten Fäuste hat, gewinnt. Das ist absolut
normal.

TELEGRAPHIST *(im Hotelzimmer, indem er Kurzschluß legt,
grinsend).* Normal ...
(Alle Zimmer des Hotels leuchten auf.)

CHOR DER INSASSEN *(in hockender Stellung sich ins Unter-
suchungszimmer hinunterbeugend, grinsend nickend).*
Normal! ... Normal! ...
*(Explosion im Hotel.
Dunkel.)*

KARL THOMAS   Wie hätte ich diese Welt weiter ertragen
können! ... Ich faßte den Plan, die Menschheit aufzu-
scheuchen. Ich wollte den Minister niederschießen. In
gleicher Stunde schoß ein anderer.

PROFESSOR LÜDIN   Hm.

KARL THOMAS   Ich rief hinter dem Täter her. Glaubte, es
sei ein Genosse. Wollte ihm helfen. Er stieß mich zurück. Ich sah seine verkniffenen Lippen. Weil der Minister ein Bolschewik, ein Revolutionär gewesen sei, schrie
er mich an.

PROFESSOR LÜDIN   Normal. Relativ würde es stimmen, wenn
dieser Unbekannte existierte.

KARL THOMAS   Da schoß ich auf den Mörder des gleichen
Mannes, den ich selbst ermorden wollte.

PROFESSOR LÜDIN   Hm.

KARL THOMAS   Der Nebel zerriß. Vielleicht ist die Welt
gar nicht verrückt. Vielleicht bin ich es ... Vielleicht
bin ich es ... Vielleicht war alles nur ein wirrer
Traum ...

PROFESSOR LÜDIN   Was wollen Sie? Die Welt ist nun mal

4. Akt, 4. Szene

so ... Kommen wir wieder zu den Motiven. Wollten Sie
mit diesem Schuß Ihre Vergangenheit abschütteln?

KARL THOMAS Wahnsinn! Wahnsinn!

PROFESSOR LÜDIN Spielen Sie nicht Komödie. Einen alten
Psychiater können Sie so nicht beeinflussen.

KARL THOMAS Oder gibt es heute zwischen Irrenhaus und
Welt keine Grenze? Ja, ja ... wirklich ... Die gleichen
Menschen, die hier als Irre bewacht werden, galoppieren
draußen als Normale und dürfen die andern zertram-
peln.

PROFESSOR LÜDIN Ach so ...

KARL THOMAS Und Sie! Sagen Sie bloß noch, daß Sie
auch normal seien? Sie sind ein Irrer unter Irren.

PROFESSOR LÜDIN Jetzt hören Sie auf mit den Kraftwor-
ten! ... Sonst laß ich Sie in die Isolierzelle bringen. Sie
möchten sich wohl mit dem Paragraphen für Geistes-
kranke retten?

KARL THOMAS Ihr glaubt, ihr lebt? Bildet euch nur ein,
die Welt werde immer bleiben wie jetzt!

PROFESSOR LÜDIN Also Sie sind der alte geblieben ... Sie
wollen immer noch die Welt ändern, Feuerchen anlegen,
ja? Wenn die Natur nicht gewollt hätte, daß etliche weniger essen, würde es wohl keine Armut geben. Wer was
Tüchtiges leistet, braucht nicht zu hungern.

KARL THOMAS Wer hungert, braucht nicht zu essen.

PROFESSOR LÜDIN Mit Ihren Ideen würden die Menschen
Schmarotzer und Faulpelze.

KARL THOMAS Sind sie mit Ihren glücklich?

PROFESSOR LÜDIN Was, Glück! Sie leiden an der Über-
wertigkeit dieser Idee. Hirngespinst. Phobie. Der Glücks-
begriff sitzt in Ihrem Kopf wie ein Staubecken. Wenn
Sie ihn für sich pflegen würden, meinetwegen. Wahrscheinlich würden Sie lyrische Gedichte schreiben vol-
ler Seele, blaue Veilchen lieben, schöne Mädchen, oder
Sie würden ein harmloser religiöser Sektierer mit leichter Paraphrenia phantastica. Aber Sie wollen die Welt
beglücken.

KARL THOMAS   Ich pfeife auf eure Seele.

PROFESSOR LÜDIN   Sie unterminieren jede Gesellschaft. Jede!
Was wollen Sie? Das Leben in seinen Fundamenten stürzen, den Himmel auf Erden schaffen, das Absolute, ja?
Wahnidee! Wie infiziöses Gift wirken Sie auf die Schwa-
chen im Geiste, auf die Masse!

KARL THOMAS   Was verstehen Sie von der Masse?

PROFESSOR LÜDIN   Meine Musterkollektion öffnet dem Blin-
desten die Augen. Die Masse, eine Herde von Schweinen.
Drängt zum Kober, wenns zu fressen gibt. Sühlt sich im
Dreck, wenn der Wanst vollgeschlagen. Und da kommen
in jedem Jahrhundert Psychopathen, versprechen der
Herde das Paradies. Die Polizei sollte sie rechtzeitig uns
Irrenärzten übergeben, statt zuzusehen, wie sie auf die
Menschheit lostoben.

KARL THOMAS   Harmlos sind Sie nicht.

PROFESSOR LÜDIN   Es ist unsere Mission, die Gesellschaft
vor gemeingefährlichen Verbrechern zu schützen. Sie sind
der Erzfeind jeder Zivilisation! Das Chaos! Sie muß
man unschädlich machen, sterilisieren, ausmerzen!

KARL THOMAS   Wärter! Wärter!

(Wärter herein.)

KARL THOMAS   Sperren Sie diesen Irren in die Isolierzelle.
*(Professor Lüdin gibt Wärtern ein Zeichen. Wärter pak-
ken Karl Thomas.)*

PROFESSOR LÜDIN   Morgen werden Sie ins Gefängnis zu-
rücktransportiert.

(Vorhang.)

Fünfter Akt

Erste Szene

Gefängnis

(Einen Moment sichtbar alle Zellen.
Dunkel.
Dann aufleuchtet
Zelle von Albert Kroll.)

ALBERT KROLL *(klopft zur Nachbarzelle).* Wer ist dort?
(Aufleuchtet
Zelle von Eva Berg.)

EVA BERG *(klopft).* Eva Berg.

ALBERT KROLL *(klopft).* Du auch? ...

EVA BERG *(klopft).* Heute früh.

ALBERT KROLL *(klopft).* Und die andern?

EVA BERG *(klopft).* Alle verhaftet. Warum hat Karl es getan?

ALBERT KROLL *(klopft).* Er sagt doch nein. Wo ist Karl?

EVA BERG *(klopft).* Vielleicht weiß es Mutter Meller.

ALBERT KROLL *(klopft).* Mutter Meller? Sitzt die auch hier?

EVA BERG *(klopft).* Ja. Über mir. Wart, ich klopf.
(Geräusch an Albert Krolls Tür.)

ALBERT KROLL *(klopft).* Achtung! Es kommt jemand.
(Zellentür Albert Krolls kreischt auf.
Herein Aufseher Rand.)

RAND Die Suppe ... Machen Sie rasch. Heute ist Sonntag.

ALBERT KROLL Ach, das sind Sie.

RAND Ja, ich bin wieder Gefängnisbeamter. Man hat was Kompaktes unter den Füßen ... Na, nun habe ich euch alle wieder beisammen. Bis auf Kilman. Von dem weihen sie heute das Denkmal ein.

ALBERT KROLL So?

RAND Kilman war der einzige unter Ihnen, der was

taugte, das werden Sie doch zugeben. Das hab ich ja
immer gesagt.

ALBERT KROLL *(ißt)*. Fraß.

RAND   Schmeckt Ihnen die Suppe nicht? Schweinebraten
gibts zu Weihnachten. Gedulden Sie sich bis dahin.

ALBERT KROLL   Sagen Sie, ist Karl Thomas auch hier?

RAND   Seit gestern abend ... Was der für ein Leben hinter sich hat ...

(Aufseher Rand hinaus.)

ALBERT KROLL *(klopft)*. Jetzt, Eva.

EVA BERG *(klopft)*. Wo ist Karl?

ÜBERALL KLOPFEN   Wo ist Karl?

(Die Zellen dunkel.
Aufleuchtet
Zelle von Karl Thomas.)

KARL THOMAS   Wieder warten ... warten ... warten ...

(Aufleuchtet
Zelle von Frau Meller.)

FRAU MELLER *(klopft)*. Wo ist Karl?

KARL THOMAS *(klopft)*. Hier ... Wer bist du?

FRAU MELLER *(klopft)*. Mutter Meller.

KARL THOMAS   Was? Die alte Mutter Meller. *(Klopft.)* Wer
ist noch hier?

FRAU MELLER *(klopft)*. Wir alle ... Eva ... Albert ... Und
die andern ... Wegen des Attentats ... Wir sind bei dir,
lieber Junge ...

KARL THOMAS *(klopft)*. Weißt du noch, vor acht Jahren?

FRAU MELLER *(klopft)*. Ich versteh ja nicht, was du getan
hast ... Aber ich halt zu dir ...

(Zelle von Frau Meller dunkel.)

KARL THOMAS *(klopft)*. Hör doch! ...

(Aufleuchtet
Zelle des Gefangenen N.)

GEFANGENER N. *(klopft)*. Nicht so laut ... Denk an die
Hausordnung ... Du schadest uns ...

KARL THOMAS *(klopft)*. Wer bist du?

GEFANGENER N. *(klopft)*. Wenn du so weitermachst, bleibt

keine Hoffnung für uns ... Ich antworte nicht mehr ...
(Zelle des Gefangenen N. dunkel.)

KARL THOMAS   Ach, du bists ... Du bist auch wieder hier?
... Ich dachte, du bist tot? ... Alle seid ihr wieder hier?
... Alle wieder hier ... Ist es so? ... Der Tanz beginnt
von neuem? ... Wieder warten, warten, warten ... Ich
kann nicht ... Seht ihr denn nicht? ... Was treibt ihr?
... Wehrt euch doch! ... Keiner hört, keiner hört, keiner ... Wir sprechen und hören uns nicht ... Wir has-
sen und sehen uns nicht ... Wir lieben und kennen uns
nicht ... Wir morden und fühlen uns nicht ... Muß
es immer, immer so sein? ... Du, werde ich dich nie verstehen? ... Du, wirst du mich nie begreifen? ... Nein!
Nein! Nein! ... Warum zertrümmert, verbrennt, vergast
ihr die Erde? ... Alles vergessen? ... Alles umsonst? ...
So dreht euch weiter im Karussell, tanzt, lacht, weint,
begattet euch – viel Glück! Ich springe ab ...
O Irrsinn der Welt! ...
Wohin? Wohin? ... Näher und näher rücken die steiner-
nen Wände ... Ich friere ... und es ist dunkel ... und
das Treibeis der Finsternis klammert mich gnadenlos ...
Wohin? Wohin? ... Auf den höchsten Berg ... Auf den
höchsten Baum ... Die Sintflut ...
*(Karl Thomas dreht aus dem Bettlaken einen Strick,
steigt auf den Schemel, befestigt den Strick am Tür-
haken.)*

(Dunkel.)

Zweite Szene

(Gruppe vor einem verhüllten Denkmal.)

GRAF LANDE   ... und so übergebe ich dem Volke das
Denkmal dieses verdienten Mannes ... der in schwerer
Zeit ...

(Dunkel.)

Dritte Szene

Gefängnis

*(Aufleuchtet
Zelle von Albert Kroll.
Geräusch. Tür kreischt auf.
Aufseher Rand herein.)*

RAND   Weil Sie mal nett waren, erzähl ich Ihnen was.

ALBERT KROLL   Sie brauchen nicht.

RAND   Wir sind gar nicht so. Eben ist vom Justizministe-
rium telephoniert worden, Thomas ist nicht der Mörder.
Den wirklichen haben sie in der Schweiz geschnappt. Ein
Student. Wie er verhaftet werden sollte, hat er sich erschossen.

ALBERT KROLL   Wir werden gleich entlassen?

RAND   Heute nicht. Heute ist Sonntag ... Da gratulier ich
Ihnen, Herr Kroll.
(Rand hinaus.)

ALBERT KROLL *(klopft)*. Eva! Eva!
*(Aufleuchtet
Zelle von Eva Berg.)*

EVA BERG *(klopft)*. Ja.

ALBERT KROLL *(klopft)*. Wir werden frei! Rand hats erzählt. Der wirkliche Mörder ist entdeckt.

EVA BERG   Kinder! ... *(Klopft an der anderen Zellenwand.)*
Mutter Meller!
*(Aufleuchtet
Zelle von Frau Meller.)*

FRAU MELLER *(klopft)*. Ja.

EVA BERG *(klopft)*. Wir werden alle frei. Karl hat gar nicht
geschossen. Sie haben den Mörder.

FRAU MELLER ... *(Klopft an der anderen Wand.)* Du,
Karl! ... Du! ... Du! ... Du! ... *(Klopft auf den Fuß-
boden.)* Eva, Karl meldet sich nicht.

EVA BERG *(klopft)*. Klopf lauter.

FRAU MELLER *(klopft)*. Karl! Karl! Karl!

EVA BERG *(klopft).* Albert, Karl gibt keine Antwort.
ALBERT KROLL *(klopft).* Klopfen wir alle. Jetzt ists so egal.
  (Klopfen.
  Auch die anderen Gefangenen klopfen.
  Stille.
  Klopfen im ganzen Gefängnis.
  Stille.)
EVA BERG   Er meldet sich nicht ...
  (In den Gängen rennen Aufseher.
  Die Zellen dunkeln.
  Dunkel das Gefängnis.)

  (Die Bühne schließt sich.)

Anhang

Vor der 2. Szene des 3. Aktes von *Hoppla, wir leben!* wurde in der Berliner Aufführung des Stückes durch Erwin Piscator (vgl. Nachwort S. 117) das nachfolgende Chanson von Walter Mehring gesungen. Alfred Kerr schrieb dazu: »Fortreißendes hat Walter Mehrings Einschublied ... Fortreißendes die glühendgeistvolle Signalmusik Edmund Meisels. Fortreißendes der Anfangsfilm, den Piscator stiftet« (Piscator, *Das Politische Theater,* S. 157). Walter Mehrings Chanson erschien erstmals unter der Überschrift »Hoppla, wir leben! Intermezzo zu einer Hotelszene des Tollerschen Stückes« in der *Leipziger Volkszeitung* vom 14. September 1927. Es wird hier nach der Ausgabe *Die Gedichte, Lieder und Chansons des Walter Mehring,* Berlin 1929, S. 39–44, wiedergegeben.

Hopla, wir leben

In diesem Hôtel zur Erde
    War die Crème der Gesellschaft zu Gast –
Sie trug mit leichter Gebärde
    Die schwere Lebenslast!
    Sie hielt auf gute Ernährung – –
    Bis man eine Kriegserklärung
    Als Scheck in Zahlung gab – –
Da kamen die Diplomaten,
Um über den Fall zu beraten,
Die sprachen: Wir brauchen einen Krieg
Und größere Zeiten eben!
Es gibt nur eine Politik:
Hopla, wir leben –
    Wir leben und rechnen ab!

Säbelrasseln – Volksekstase –
Welche Tänze tanzt man morgen?
　　Hopla!
Blaukreuzgase – Menschheitsphrase –
Unsre Sorgen!
　　Hopla!
　Es blutet uns das Herze
　Vor lauter Druckerschwärze,
　Hopla!
　Freiheit – hinter Gitterstäben –
　Schützengräben.
　Hopla! Wir leben!

In diesem Hôtel zur Erde,
　War das Militär zu Gast –
Wir kämpften für ihre Beschwerde –
　Sie haben für uns gehaßt!
　Sie machten blutige Spesen,
　Sie gaben als Trinkgeld: Prothesen
　Und ließen ein Massengrab – –
　Doch als sie sollten zahlen
　Für alle Todesqualen:
Da kamen der Herr Chefgeneral
Und die Geistlichkeit daneben –
Die sangen ergriffen den Heldenchoral:
Hopla, wir leben –
　Wir leben! Und rechnen ab!

Die Muschkoten – und die Roten,
Das sind unsre Feinde morgen.
　　Hopla!
Und die drei Millionen Toten –
Unsre Sorgen!
　　Hopla!
　Es blutet uns das Herze
　Unter dem Eisenerze!
　Hopla!

Freiheit – hinter Gitterstäben –
Schützengräben.
Hopla! *Wir* leben!

In diesem Hôtel zur Erde
  Von Mord und Krieg umbraust –
Da hat im Keller die Herde
  Der Proletarier gehaust –
  Sie mußten ihre Zechen
  Mit ihren Knochen blechen –
  Dann machte die Bande schlapp!
  Da kamen die Direktoren
  Und sprachen: Wir haben verloren!
  Wir gaben Euch: ein Notquartier
  Und eine Krücke daneben,
  Ihr seid Halbtote! – Aber wir,
  Hopla! Wir leben –
    Wir leben und rechnen ab!

Denn Ihr habt nichts zu verlieren!
Aber uns kann keiner borgen!
    Hopla!
Hungern, Frieren – und Krepieren –
Unsre Sorgen!
    Hopla!
Wir bluteten Moneten!
Gebt unser Geld, Proleten!
  Freiheit? Hinter Gitterstäben –
  Schützengräben – –
  Hopla! Wir leben!

In diesem Hôtel zur Erde
  Ist die Crème der Gesellschaft zu Gast –
Sie trägt mit leichter Gebärde
  Die schwere Lebenslast!
  Die Feinde sind verdroschen –
  Gib dem Krüppel dort einen Groschen!
  Wir haben es selber so knapp!

Die Minister, die Denker und Dichter:
Es sind wieder dieselben Gesichter!
Es ist wieder ganz wie vor dem Krieg –
Vor dem nächsten Kriege eben – – –
Im Charleston liegt die Schlachtmusik:
Hopla! *sie* leben!
Wann rechnen mit ihnen wir ab!

Wenn den Bau wir demolieren –
Welche Tänze tanzt Ihr morgen
   Hopla?
Wenn statt ihren – hier regieren
Unsre Sorgen
   Hopla!
Sucht Schutz bei Eurem Gotte,
Dem elektrischen Schafotte
Hopla!
   Kommt mit Euren Generälen!
Wir befehlen:
Hopla! Wir leben!

Nachwort

1930 schrieb Ernst Toller (1893–1939) im Nachwort »Arbeiten« zu seiner Sammlung von Reisebildern und Reden *Quer durch* über seine bis zu diesem Zeitpunkt veröffentlichten schriftstellerischen Werke. Er berichtet über die Schwierigkeiten bei ihrer Entstehung, über ihre Struktur und Aussage und über ihre Rezeption bei der Kritik und beim Publikum. Nachdem er sein im Militärgefängnis vollendetes expressionistisches Erstlingswerk *Die Wandlung* (1919) und die während der Haftzeit in Eichstätt und Niederschönenfeld entstandenen Stücke *Masse Mensch* (1921), *Die Maschinenstürmer* (1922), *Hinkemann* (1923) und *Der entfesselte Wotan* (1923) besprochen hat, fährt er fort: »›Hoppla, wir leben!‹ heißt das erste Stück, das ich ›in Freiheit‹ schrieb.«[1] Toller war am 15. Juli 1924 aus fünfjähriger Festungshaft entlassen worden; über drei Jahre später, am 1. September 1927, wurde *Hoppla, wir leben! Ein Vorspiel und fünf Akte*, das noch im selben Jahr mit »Gruß an Erwin Piscator und Walter Mehring« beim Gustav Kiepenheuer Verlag in Potsdam erschien, in den Kammerspielen Hamburg uraufgeführt. Für denselben Tag hatte auch Erwin Piscator zur Eröffnung seiner neuen Bühne im Theater am Nollendorfplatz die Berliner Premiere angesetzt, aber Schwierigkeiten, besonders bei der Herstellung der Filme für die Zwischenspiele, machten die Aufführung am vorgesehenen Tag unmöglich. Es war trotzdem die verspätete Piscator-Inszenierung, die Tollers Stück zur Berühmtheit verhalf und in den Mittelpunkt der politischen und künstlerischen Diskussion stellte.

1 I,145. Die Schriften Tollers werden hier und im folgenden zitiert nach Ernst Toller, *Gesammelte Werke*, hrsg. von John M. Spalek und Wolfgang Frühwald, 5 Bde., München 1978 (Reihe Hanser 250–254). Im Text angeführte Band- und Seitenzahlen beziehen sich ebenfalls auf diese Ausgabe; bei Zitaten aus *Hoppla, wir leben!* ist der Bandzahl III die Seitenzahl des vorliegenden Drucks vorangestellt.

Toller wollte offensichtlich ein Drama über die verratene
deutsche Revolution und den aus ihr entstandenen Staat,
die Weimarer Republik, schreiben. Die von Spalek[2] er-
wähnten Arbeitstitel »Sturm über die Erde« und »Barrikaden am Wedding« bringen diese Absicht klarer zum Ausdruck als der nach dem Refrain eines Chansons von Walter
Mehring endgültig gewählte satirische Titel. Dieses Lied,
das nach der Pause zu Anfang des dritten Aktes in der
Berliner Aufführung nach einer Melodie von Edmund Meisel von Kate Kühl vorgetragen wurde, besingt die »Crème
der Gesellschaft«, die vor, während und nach dem Kriege
oben im Hotel zu Gast war und sich nicht geändert hat.
Unten im Keller aber saßen und schufteten die Proleten,
im Krieg bluteten sie in den Schützengräben, um dann nach
der Revolution in die Gefängnisse zu wandern. Im Gegensatz zum Drama schließt das Chanson mit der Vision einer
Revolution, der Zerstörung der alten Gesellschaft und der
kommenden Herrschaft des Proletariats: *»Wir* befehlen:
Hopla! Wir leben!« (115; III,335)
Der Protagonist des Stückes ist Karl Thomas, der Zweifler
und Aktivist, eine gespaltene Persönlichkeit. Mit wenigen
Ausnahmen[3] hat die Kritik diesen mit Toller gleichgesetzt,
ihn für sein Ebenbild ausgegeben oder ihn zumindest als
Sprachrohr des Autors betrachtet. Aus mehreren Gründen
ist dieses nicht weiter verwunderlich: Einmal war Toller als
expressionistischer Autor besonders der *Wandlung* bekannt,
und im expressionistischen Drama im allgemeinen und in
der *Wandlung* im besonderen ist die Hauptgestalt identisch
mit dem »Ich« des Autors. Noch bekannter und berühmter
war Toller als Revolutionär, als einer der wenigen deutschen Schriftsteller, die sich im Frühjahr 1919 für die kurz-
lebige Räterepublik in München eingesetzt und sie aktiv

2 John M. Spalek, *Ernst Toller and His Critics. A Bibliography*,
Charlottesville (Virginia) 1968, S. VII.
3 Zu diesen gehört Jost Hermand: »Ernst Toller: Hoppla, wir leben!«,
in: J. H., *Unbequeme Literatur. Eine Beispielreihe*, Heidelberg 1971,
S. 128–149.

unterstützt hatten. Seine Rolle als Vorsitzender des Zen-
tralrates und als Kommandant der Roten Garde hat er in
seiner Autobiographie *Eine Jugend in Deutschland* (1933)
beschrieben.[4] Wäre Toller bei der Eroberung Münchens
durch die Regierungstruppen Anfang Mai 1919 gefangen-
genommen worden, so hätte man ihn wahrscheinlich wie
den kommunistischen Führer Eugen Leviné zum Tode verurteilt und hingerichtet oder wie Gustav Landauer ermordet, »auf der Flucht erschossen«, wie es damals euphe-
mistisch hieß. Er konnte sich jedoch über einen Monat lang
bis zum 4. Juni verstecken und entging so der Lynchjustiz,
wurde aber zu fünf Jahren Festungshaft verurteilt. Wenn
die nächsten drei Jahre in Freiheit, in denen Toller am
Drama arbeitete, zu diesen fünf Jahren hinzugerechnet werden, ergeben sich die acht Jahre, die Karl Thomas von
1919 bis 1927 im Irrenhaus verbringt. Jedoch war Toller
keineswegs in einer Irrenanstalt, sondern in Festungshaft
und konnte, wenn auch oft unter großen Schwierigkeiten,
lesen, schreiben und sich fortbilden. Besonders die politische
Entwicklung in Deutschland verfolgte er sehr sorgfältig
– von 1921 bis 1924 war er sogar Abgeordneter der USPD
im Bayerischen Landtag, obgleich er an keiner Sitzung
teilnehmen konnte –, und eben wegen seiner Isolation
konnte er die Ereignisse vielleicht objektiver beurteilen, als
wenn er aktiv im politischen Tageskampf gestanden hätte.
Und in den drei Jahren nach seiner Entlassung hatte er
wahrlich genug Gelegenheit, sich auch aus nächster Nähe
mit allen praktischen und taktischen Fragen der Politik zu
befassen. Aus seinen Schriften wird immer wieder ersicht-
lich, daß er keineswegs die Ansichten von Karl Thomas
teilt – im Gegenteil, die meisten von dessen Äußerungen
lassen sich aus den Aufsätzen Tollers widerlegen. Zwar
wollte Toller das »Antlitz der Zeit« (IV,191) von 1927

4 Vgl. dazu auch das Nachwort von Wolfgang Frühwald in: Ernst
Toller, *Hinkemann. Eine Tragödie,* hrsg. von Wolfgang Frühwald,
Stuttgart 1971 (Reclams Universal-Bibliothek, Nr. 7950), S. 71–93.

zeigen, auch aus der Sicht eines jugendlichen und enthu-
siastischen Revolutionärs, wie er 1918/19 selbst einer gewesen war, aber seine Illusionen waren 1927 schon lange
verflogen.

Im filmischen Vorspiel zum Stück werden die Revolution
und ihre Niederschlagung gezeigt. Die Zeitangabe »1927«
und »Acht Jahre nach einem niedergeworfenen Volksaufstand« (5; III,10) legen das Jahr 1919 für das Vorspiel
fest. Auch der Film zeigt ausdrücklich »Szenen eines Volksaufstandes«; Toller hat hier zwar Selbsterlebtes und -erfah-
renes aus der Zeit der Münchner Räterepublik im April
1919 verarbeitet, aber er will gerade die biographischen
Bezüge tilgen und nicht auf eine bestimmte Revolution in
Deutschland hinweisen, sondern auch an die in anderen
Staaten Europas, ja der Welt, erinnern, wie sich von der
Ortsangabe ablesen läßt: »Das Stück spielt in vielen Ländern« (5; III,10). Toller betont auch immer wieder, daß
eine echte Revolution vom geknechteten und ausgebeuteten
werktätigen Volk getragen wird, nicht von einer Gruppe
Politiker oder Militärs: »Die Revolution gleicht einem Ge-
fäß, erfüllt mit dem pulsierenden Herzschlag der Millionen arbeitender Menschen. Und nicht eher wird der revolutionäre Geist tot sein, als bis die Herzen dieser Menschen
aufgehört haben zu schlagen« (I,50).

Die im Vorspiel auftretenden sechs zum Tode verurteilten
Revolutionäre sind auch alle Arbeiter, außer dem früheren
Studenten Karl Thomas, der von Albert Kroll »Bürgersöhnchen!« (14; III,19) geschimpft wird. Karl steht auf
seiten der Revolution »aus innerstem Zwang« (12; III,18)
und kämpft für »die Idee, für die Gerechtigkeit« (12;
III,18). Sein Unbedingtheitsstreben findet sinnfälligen Ausdruck in seiner Losung: »Guter Sieg oder guter Tod« (9;
III,15) im Kampf um die Freiheit oder durch ein Erschie-
ßungskommando im Falle einer Niederlage. Karl ist aber
äußerst labil, was seinen Wahnsinnsanfall am Ende des
Vorspiels glaubhaft macht; er äußert Selbstkritik an seinen revolutionären Motiven, während Albert Kroll keine

Zweifel an der Rechtmäßigkeit der Revolution hegt, da er
schon als sechsjähriges Kind arbeiten mußte und Ausbeu-
tung von frühester Jugend an am eigenen Leibe erfahren
hat. Er kämpft, »damit das Unrecht ein Ende nehme«
(12; III,18) und bessere Zeiten kommen, genau wie Mutter
Meller, die die bürgerliche Gesellschaft für den Krieg, der
ihr Mann und Söhne geraubt hat, verantwortlich macht. Die
siebzehnjährige Eva Berg hat aus jugendlichem Enthusiasmus
und aus romantischer Liebe zu Karl Thomas mitgemacht; sie
schwärmt von der Französischen Revolution – für sie ein
größeres Vorbild als die russische Oktoberrevolution. Sie
sieht sich als Lucile in Georg Büchners *Dantons Tod* – Tollers Vorspiel zeigt Anklänge an die Gefängnisszenen in diesem Stück, genau wie Büchners *Woyzeck* Modell stand für
Tollers *Hinkemann* –, die ihrem Camille in den Tod folgt:
Sie möchte mit Karl Thomas zusammen begraben werden.
Nur Wilhelm Kilman, der sich immer wieder auf seine Arbeit
für die Partei beruft, hat zwar in der Novemberrevolution
1918 als Soldatenrat einem General die Achselstücke abver-
langt, aber bei der Räterevolution hat er nicht mitgekämpft,
sondern sich den Aufständischen erst nach erreichtem Sieg an-
geschlossen und dann vom Balkon des erstürmten Rathauses
»zu den Massen gesprochen« (13; III,19). Er ist der Typ
des Mitläufers, nur hatte er seine Rechnung ohne den Wirt
gemacht, da sich das Blatt wendete und die Revolutionäre
besiegt wurden. Im Gefängnis versucht er den Genossen
seine revolutionäre Gesinnung zu beweisen, indem er den
sechsten Gefangenen, der im übrigen im Hintergrund bleibt,
beschimpft, weil dieser vor der Hinrichtung zum Pfarrer
geht. Seine Genossen wissen nicht, daß er selbst schon mit
der Begründung, daß er gegen seinen »Willen in die Reihen
der Aufrührer« (15; III,21) gekommen sei, also zum Mitmachen gezwungen wurde, beim Präsidenten um Gnade ge-
bettelt hat.
Trotz des gemeinsamen kommunionartigen Rauchens der
Zigarette kann also auch in der Ausnahmesituation des
Vorspiels von einer verschworenen Gemeinschaft der Re-

volutionäre nicht die Rede sein; Toller gelingt es vielmehr, die sechs Gefangenen durch unterschiedliche persönliche und revolutionäre Interessen zu charakterisieren und das Publikum schon dadurch auf ihr Verhalten und ihre Handlungen im Hauptteil vorzubereiten. Im Vorspiel steht Karl Thomas auch durchaus nicht im Mittelpunkt: Albert Krolls Rolle ist ebenso wichtig. Erwähnt werden sollte auch noch der Aufseher Rand, der später wieder auftaucht als Provokateur und Antisemit – er tut alles, was ihm seine Vorgesetzten befehlen und ist der Prototyp des treusorgenden Familienvaters und zukünftigen KZ-Kommandanten, der nach dem Krieg jede Verantwortung abstreiten und sich auf seine Befehle berufen wird.

Das filmische Zwischenspiel, das die acht Jahre überbrückt, die Karl Thomas in der Irrenanstalt verbringt, weist auf wichtige politische und ökonomische »Sensationen« dieser Jahre hin, Ereignisse, zu denen Toller teilweise in Aufsätzen und Reden Stellung genommen hat. Der 1919 diktierte Friedensvertrag von Versailles war die Ursache ökonomischer und politischer Krisen der Nachkriegsjahre; besonders die Kriegsschuldklausel (Artikel 231) wurde in Deutschland allgemein abgelehnt. Auch Toller kämpfte »gegen das Unrecht des Friedens von Versailles« (IV,208); in seinem Artikel »Die Friedenskonferenz zu Versailles« (I,37) spricht er jedoch den deutschen Parteien, die den den Russen aufgezwungenen Frieden von Brest-Litowsk 1918 begrüßten, das Recht ab, sich über den Vertrag zu entrüsten, denn nach dem Prinzip der Machtpolitik hätten die Mittelmächte einen ähnlichen Siegfrieden diktiert. Nur die Sozialisten aller Länder, die »werktätigen Massen« (I,38) könnten einen gerechten, dauerhaften Frieden abschließen, aber auch sie würden sich gegen einen ungerechten Vertrag wehren: »Aber würden wir einen Frieden, der von kapitalistisch-imperialistischer Raubgier diktiert ist, unterzeichnen? Nein. Ebensowenig wie Trotzky den Raubfrieden mit Deutschland unterzeichnete. Wir würden uns gegen einen solchen Frieden wehren [...]« (I,39). Und zur

Kriegsschuldfrage bemerkt er: »So sehr wir von der schweren Schuld der deutschen Regierung am unmittelbaren Ausbruch des Krieges überzeugt sind, dürfen wir nie vergessen, daß die tiefere Schuld des Krieges im Kapitalismus, im Imperialismus, also auch bei den Ententeländern liegt« (I,43). 1927 rückte diese Frage wieder in den Mittelpunkt des Interesses, da Reichspräsident von Hindenburg in einer Ansprache bei der Einweihung des Kriegerdenkmals von Tannenberg am 18. September die Alleinschuld Deutschlands am Krieg bestritt. In Deutschland gab die Agitation gegen den Versailler Vertrag den alten, nationalistischen und revanchistischen Kräften starken Auftrieb und schwächte die demokratischen und sozialistischen Parteien, die gezwungen worden waren, den Vertrag zu unterzeichnen und recht und schlecht versuchten, die Bedingungen zu erfüllen. So benutzte auch Adolf Hitler diese Agitation im innen- und außenpolitischen Machtkampf, um damit die Wähler zu beeinflussen und selbst ausländische Regierungen, die dem Vertrag inzwischen auch mit gemischten Gefühlen gegenüberstanden, unter Druck zu setzen. Die unheilvolle Rolle, die der Vertrag in der Politik der zwanziger und dreißiger Jahre spielte, kann gar nicht überschätzt werden.

Die »Börsenunruhen in New York« 1920 werden erwähnt als eine der zyklischen Krisen des Kapitalismus, die die Weltmärkte erschüttern und unsagbares Elend verursachen. Die nächsten zwei Jahreszahlen sind offensichtlich vertauscht worden: Die Hungersnot in Österreich, die besonders in Wien große Leiden und Unruhen verursachte, herrschte 1921, während es den Faschisten in Italien 1922 gelang, die Regierungsgewalt zu übernehmen. Benito Mussolini hatte schon 1919 die erste *Fascio di Combattimento* aufgestellt, und obgleich diese Partei in den Wahlen nicht sehr erfolgreich war, rissen die Faschisten durch taktische Manöver und den Marsch auf Rom schon nach drei Jahren die Macht an sich. Hitler versuchte, durch Mussolinis Beispiel inspiriert, im November 1923 mit weniger Erfolg durch seinen Bierkeller-Putsch in München die Regierung zu stürzen. Sein »Marsch auf Berlin« endete schon bei der Feldherrnhalle, als die Polizei auf die Marschierenden schoß und sie zerstreute.

Das Jahr 1923 brachte für die Deutschen den Zerfall der Währung, die Inflation als traumatisches Erlebnis. Krieg, Reparationen und Ruhrkampf, schließlich die bürgerkriegsähnlichen Unruhen seit dem Waffenstillstand 1918 trugen allesamt zur Zerrüttung der Wirtschaft und Industrie und damit zur Geldentwertung bei. Millionen von Arbeitern und Angestellten, von Pensionären und Rentnern verloren ihre Ersparnisse wie der Hausdiener in Tollers Stück, der zwölf Jahre lang eisern sparte und sich dann für das entwertete Geld eine Schachtel Streichhölzer kaufen konnte. Da diese Betrogenen nicht die wirklichen Gründe für die Katastrophe verstanden, machten sie die Republik und die Erfüllungspolitik der Regierung verantwortlich und ließen sich von reaktionären, nationalistischen Demagogen beeinflussen, die die Dolchstoßlegende verbreiteten und behaupteten, daß Deutschland den Krieg nicht verloren habe, den Versailler Vertrag verdammten und eine völkische Diktatur forderten. Die völkisch-nationalen Kreise schreckten auch vor Meuchelmord nicht zurück, wie die Anschläge auf Matthias Erzberger, Walther Rathenau und weitere Fememorde zeigten. Die allgemeine Gesetzlosigkeit schwächte die demokratischen und sozialistischen Parteien, und obgleich durch die Währungsreform am 15. November 1923 und den Dawesplan zur Regelung der Reparationen die Lage stabilisiert wurde und die goldenen Jahre der Weimarer Republik begannen, so setzten die Gegner von rechts und von links doch ihre antidemokratische Hetze fort. Toller bekämpft diese Gefahren in seinem Stück und macht besonders den Nationalismus, Militarismus und Kapitalismus für die Situation verantwortlich; er glaubt ebenfalls, daß die parlamentarische Demokratie, als Träger der kapitalistischen Wirtschaftsordnung, nicht mit diesen Kräften fertig werden kann. 1919 sieht er eine wirkliche Räterepublik als einzige Alternative: »Ihnen

gegenüber stehen die östlichen Ideale, die Idee der Rätedemo-
kratie, d. h. die Verwaltung durch das werktätige Volk, der
ständigen aktiven Teilnahme aller am öffentlichen Leben, die
Vereinigung der Legislative und Exekutive in der Hand des
werktätigen Volkes, der gegenseitigen Hilfe, der Möglichkeit zur Zertrümmerung der heutigen Staatsgerüste und
ihre Aufteilung in zusammenhängende Wirtschaftskom-
plexe, d. h. also der Befreiung der Völker von den Berufs-
politikern und der Berufspolitik« (I,44). Lenin ist für Toller der Vertreter dieser Ideale, und deshalb betrauert er
1924 seinen Tod. Aber genauso wichtig wie die politische
ist die private Existenz, denn neben dem Tod von Lenin
wird auch der von Karl Thomas' Mutter angezeigt.
1925 wird auf das Wirken von Mahatma Gandhi in Indien
hingewiesen. Seit 1919 hatte er durch passiven Widerstand
und durch Boykott aller britischen Waren zur Befreiung
Indiens von kolonialer Unterdrückung aufgerufen. Toller
nahm im Februar 1927 am Brüsseler Kolonial-Kongreß teil
und verdammte sowohl die Imperialisten als auch eine
nationalistische deutsche Kolonialpolitik, die eine Rück-
gabe der durch den Weltkrieg verlorenen deutschen Kolo-
nien forderte. Er hatte erkannt, daß die Befreiung der kolo-
nialen Völker nur noch eine Frage der Zeit war und unter-
stützte ihren Freiheitskampf.[5] Die »Kämpfe in China«, die
für 1926 erwähnt werden, fanden seit 1920 statt. 1924
tagte der erste Kuomintang-Kongreß zur Befreiung Chinas
in Kanton. In Europa wurde in diesem Jahr die Ab-
rüstungskonferenz einberufen und Deutschland in den Völ-
kerbund aufgenommen.
Es ist also der Faschismus, der Militarismus und Nationalismus, die ökonomische Situation der Völker, die Entwicklung des jungen Sowjetstaates und die Befreiung der
unterdrückten Kolonialvölker, auf die in diesem filmischen
Zwischenspiel hingewiesen wird, Themenkomplexe, die dann
auch wieder im Stück auftauchen. Der von Kurt Oertel her-

5 Vgl. Ernst Toller, »Der Brüsseler Kolonial-Kongreß«, in: I,63–68.

gestellte Film wurde von Herbert Ihering als »für sich fabelhaft[6]«, aber auch als zu ausführlich und nicht überzeugend in
die Handlung integriert kritisiert. Außerdem bemängelte er
die Vermischung des Symbolischen und Dokumentarischen
im Film, der ein Kaleidoskop der Zeit gab und formal vom
russischen Revolutionsfilm und Fritz Langs *Metropolis* beeinflußt war. Paul Wiegler beschrieb den Inhalt so:

> »Zuerst ein Piscator-Kriegsfilm, vorhandenes echtes Ma-
> terial, mit allem Grauen des Frontkampfes, und gestellte
> Aufnahmen à la ›Potemkin‹, von denen sich dann groß
> und hart das Antlitz des Soldaten und Revolutionärs
> Karl Thomas, Granachs Kopf, erhebt. Der Film rast wei-
> ter und ist ein Film der Nachkriegszeit, der Inflation,
> der beunruhigenden Gegenwart. Die Leuna-Werke, der
> Kapp-Putsch, Hunger, Gewimmel nackter Girlbeine, Re-
> kords entfesselter Autos, Boxmeetings, stampfende und
> kreisende Maschinen, die irrsinnige Hetzjagd der bour-
> geoisen Welt, ›B.Z.‹-Nummern, Krieg in Marokko, Krieg
> in China, Tanks, drohende Geschützrohre, Flottendefi-
> lés, Filmwochenschau bis 1927, ausgewählt von einer
> phantastischen Reportagekunst.«[7]

1925 sprach Toller zum Jahrestag der Revolution in Berlin
zu den Arbeitern und entwickelte Gedanken, die dann von
ihm im Hauptteil von *Hoppla, wir leben!* dramatisch ge-
staltet werden.[8] Im Mittelpunkt seiner Ausführungen steht
ein Vergleich der gesellschaftlichen und politischen Situation während und sieben Jahre nach der Revolution:

> »1918: In Vorzimmern sozialistischer Regierungsmänner
> die völkischen Helden, buckelnd, und, auf dem
> Boden der Tatsachen, nicht den Parademarsch,
> sondern den Ämtermarsch stechend.
>
> 1925: Feme über Deutschland, Arbeiter die Opfer.
>
> 1918: Werktätiges Volk, bewaffnet, am Arm die rote
> Binde, schützt die Städte.

6 Herbert Ihering im *Berliner Börsen-Courier* vom 5. September 1927.
7 P. W. [Paul Wiegler] in der *B. Z.* vom 5. September 1927.
8 Siehe auch Hermand, *Unbequeme Literatur*, S. 147.

> 1925: Vor brotlosen Generalen, auf dem Kopf den kai-
> serlichen Pickelhelm, die Brust geschwellt unter
> Ordenstand Wilhelms II., defilieren die Truppen
> der Konterrevolution.
> 1918: Her mit der Sozialisierung!
> 1925: Fort mit dem 8-Stunden-Tag!
> 1918: Alle Macht den Arbeitern und Bauern!
> 1925: Alle Macht den Industriellen und Agrariern!«
> (I,160)

Toller betont immer wieder, daß das Volk 1918 genau
wußte, wogegen es war, nämlich die Fortsetzung des Krieges, daß es aber kein politisches Konzept für die Weiter-
führung der Revolution besaß, nachdem ihm der Sieg über
die alten Gewalten fast mühelos in den Schoß gefallen
war: »Die deutsche Revolution fand ein unwissendes Volk,
eine Führerschicht bürokratischer Biedermänner. Das Volk
rief nach dem Sozialismus, doch nie in den vergangenen
Jahren hatte es klare Vorstellungen vom Sozialismus gewonnen, es wehrte sich gegen seine Bedrücker, es wußte,
was es nicht wollte, aber es wußte nicht, was es wollte«
(IV,111). Es traute sich nicht, die Macht, die es nun besaß,
auch einzusetzen, vielmehr bat es die alten autoritären
Militärs, wie im Stück den Kriegsminister von Wandsring,
für Ruhe und Ordnung, die bekanntlich des Bürgers erste
Pflicht sind, zu sorgen, und gab ihnen mit schlecht ange-
brachtem Vertrauen die Machtmittel zur Erreichung dieses
Zieles in die Hände, die sie dann gegen die Arbeiter ein-
setzen konnten. Von Wandsring – als Vorbilder für diese
Gestalt haben der General der Reichswehr Hans von Seeckt
und Feldmarschall von Hindenburg gedient – macht aus
seiner antidemokratischen Einstellung keinen Hehl: Er ver-
achtet das Volk, die »liberalen Utopien von Demokratie
und Volksfreiheit« (25; III,30), »ehrliche Diktatur« (25;
III,31) wäre ihm lieber, und notfalls würde er auch mit
Maschinengewehren auf die Massen feuern lassen, um ihnen
den nötigen Respekt vor der Staatsmacht beizubringen.
Auch die alte Bürokratie, der Justizapparat und die Staats-

kirchen blieben nach 1918 erhalten, die Universitäten und
die Mehrzahl der Lehrer an den Schulen waren reaktionär
und die Industriellen und Großgrundbesitzer antidemokra-
tisch eingestellt. Von einer gesellschaftlichen Revolution
konnte also nicht die Rede sein, selbst die politische war nur
halb durchgeführt worden. Und trotz dieser halben Revolution hatte es die Regierung der Republik schwer, denn nicht
nur mußte sie sich gegen die inneren Gegner wehren, sondern auch gegen die rachsüchtigen Ententeregierungen, die
auf Erfüllung der übertriebenen Reparationsforderungen
drangen und bei jeder Gelegenheit mit der Besetzung
Deutschlands und anderen Gewaltmaßnahmen drohten.
Wenn also ein sozialdemokratischer Reichskanzler regierte,
war er von Gegnern umgeben und mußte mit ihnen aus-
kommen, sich irgendwie arrangieren. Leider lief das zu oft
auf Anpassung hinaus, besonders wenn er selbst noch bür-
gerlich eingestellt war wie Kilman. Dieser bemüht sich
offensichtlich um die Gunst der früheren Herrscher und
der sozial höher Stehenden, er nimmt ihre bürgerlichen
oder adeligen Gewohnheiten an, wird auch von ihnen
hofiert, aber nur aus selbstsüchtigen Zwecken, wie etwa
von Graf Lande, der eine Stellung in der Hauptstadt an-
strebt und sie auch sofort erhält, während Kilman gegenüber Karl Thomas versichert, bevor ihn dieser überhaupt
um Arbeit gebeten hat, daß er ihn nicht anstellen könne.
Dabei wäre es bestimmt nicht schwer für den Minister,
etwas Passendes für Karl Thomas zu finden. Der feudal-
bürgerliche Lebensstil, den Kilman sich angewöhnt hat, hat
zwar weniger ihn und seine einfache Frau als seine junge
Tochter korrumpiert; sie frönt allen Verführungen der
Hauptstadt von der lesbischen Liebe bis zum Drogengenuß.
Toller schreibt bitter, übrigens ähnlich wie Carl Sternheim,
der die Sehnsucht des deutschen Proletariers nach bürger-
licher Respektabilität in Stücken wie *Bürger Schippel* und
Tabula rasa satirisiert:

»Die Rechtssozialisten und Gewerkschaftsführer waren
versippt und verfilzt mit den Gewalten der Monarchie

und des Kapitalismus, deren Sünden waren ihre Sünden. Sie hatten sich abgefunden mit dem bürgerlichen juste milieu, ihr Ideal war die Überwindung des Proletariers durch den kleinen gehobenen Bürger. Ihnen fehlte das zu der Lehre, die sie verkündet hatten, das Vertrauen zum Volk, das ihnen vertraute. Am Tage nach der Revolution nahmen sie den Kampf auf, nicht gegen die Feinde der Revolution, nein, gegen ihre leidenschaftlichsten Pioniere, sie hetzten und jagten sie, bis sie zur Strecke gebracht waren, und quittierten den Dank in den Salons der feinen Gesellschaft. Sie haßten die Revolution, Ebert hatte den Mut, es auszusprechen.« (IV,111)

Kilman, als Innenminister, wird im 1. Akt nur im Arbeitszimmer gezeigt, denn während er vor der Revolution ein Funktionär der Partei war, ist er jetzt ein Staatsdiener geworden, der vorgibt, dem Volke zu dienen, nicht aber einer Partei oder einer gesellschaftlichen Schicht. Er denkt und handelt nach dem Vorbild der alten preußischen Minister, und so muß er zwischen die Fronten kommen und gegen die Arbeiter einschreiten. Seine größte Sorge sind Ruhe und Ordnung im Staat, denn sonst würde nach seiner Ansicht »bald die finstere Reaktion« (37; III,42) herrschen. Das »Chaos« ist für ihn das große Schreckgespenst, und es ist einzuräumen, daß die geschichtliche Entwicklung seinen Befürchtungen recht gegeben hat. Auch Streiks und sonstige Unruhen sucht Kilman auf jede Weise zu verhindern; wenn er jedoch behauptet: »Wir lehnen den Kampf roher Gewalt ab. Wir haben unermüdlich gepredigt, daß wir mit sittlichen, mit geistigen Waffen siegen wollen. Gewalt ist immer reaktionär« (36; III,41), so heuchelt er wie im Gefängnis, denn eine Aussperrung der Arbeiter ist eine Gewaltmaßnahme genauso wie die Entlassung Eva Bergs aus ihrer Beamtenstelle, weil sie sich für die Rechte der Arbeiterinnen einsetzt. Kilman ist darauf bedacht, daß die Wirtschaft auf Hochtouren läuft und Vollbeschäftigung herrscht. Seine Sorge um inneren Frieden und Prosperität, seine neusachliche Haltung, wird von Ludwig Sternaux, der

Tollers Charakterisierung ablehnt, durchaus positiv gesehen, da Kilman, wie Sternaux bemerkt, »gesundet, für Ordnung und Ruhe und Aufbau eintritt«.[9] Dadurch wird er aber wie viele moderne Staatsoberhäupter zum Anwalt und Handlanger der großen Industrieunternehmen, und da sich in den zwanziger Jahren immer mehr Betriebe durch Mechanisierung und Rationalisierung zu immer größeren Wirtschaftskonzentrationen, zu Konzernen, Kartellen und Trusts, zusammenschlossen, wurden die Unternehmer immer mächtiger, und wie vor dem Kriege wollten sie auch jetzt noch trotz der demokratischen Staatsform die Betriebe nach ihrem Willen regieren, ohne Betriebsräte, Gewerkschaften und Tarifverträge, und, wenn möglich, auch ohne Einmischung von seiten der Regierung. Besonders der Achtstundentag war ihnen ein Dorn im Auge, denn da sie für den Export arbeiteten, versuchten sie aus Konkurrenzgründen die Herstellungskosten so weit wie möglich zu senken, und eine Möglichkeit dazu waren »Überstunden und Lohnsenkung« (23; III,28), wie der Bankier zynisch vorschlägt, da der einzelne Arbeiter infolge der Überstunden noch immer den gleichen Lohn mit nach Hause nehmen würde. Und der brauchte nicht hoch zu sein, denn solange der Arbeiter und seine Familie genug zu essen hatten und gegen Unfall, Krankheit und Alter versichert waren, mußten sie zufrieden sein. Die Produkte, die die Arbeiter herstellten, waren für sie ohnehin nicht käuflich, sie mußten Devisen ins Land bringen, damit die Reparationen gezahlt werden konnten. Und das Widersinnige an der ganzen Sache war, daß schon wieder Waffen und Kriegsmaterial exportiert wurden, während das Land noch unter den Schulden des letzten Krieges ächzte. Als Pazifistin protestiert Eva Berg gegen die Herstellung von Giftgas, aber Kilman denkt an die Industrie, an Arbeitsplätze, und wirft ihr vor, daß sie nicht das praktische Wissen habe, um diese Dinge zu überschauen. Während der Kriegsminister dem Volk die

9 Im Berliner *Lokal-Anzeiger* vom 5. September 1927.

Fähigkeit zum Regieren überhaupt abspricht, behauptet Kilman nur, daß die Masse unfähig sei, weil ihr das »Fachwissen« (36; III,42) fehle, und er denkt nicht an politische, sondern an kaufmännische und unternehmerische Kenntnisse, denn ein Arbeiter könne nicht »die Funktion meinetwegen eines Syndikatsleiters [...] Oder eines Direktors der Elektrizitätswerke« (36; III,42), also Managerberufe, ausüben. Da solche leitenden Stellen in Deutschland bis zum Kriege durchweg von Bürgern besetzt waren, schwört Kilman auch auf das Bürgertum. Als Toller die Gestalt des Kilman schuf, dachte er wahrscheinlich an den Staatsminister des Innern in Bayern, Erhard Auer, dem er vorwarf, daß er sich als revolutionärer Minister und Arbeitervertreter mit der reaktionären Bourgeoisie verbinde und zur Schaffung von konterrevolutionären Bürgerwehren aufrufe: »Aber Herr Auer will vielleicht gar nicht die sozialistische Gesellschaft. Er sucht seinen festen Rückhalt, oder besser seine Rückendeckung, in der Bourgeoisie. Sein höchstes Ideal ist ja auch, wie er gestern sagte, daß alle Proletarier zu Bürgern erhoben, man bedenke, zu Bürgern *erhoben* werden – nicht zu bewußten Sozialisten und revolutionären freien Menschen.«[10] Toller vergottete zwar nicht das Proletariat wie einige liberale Intellektuelle, aber er sprach ihm auch nicht die Fähigkeit zum Regieren ab: »Die deutsche Revolution ist nicht daran zugrunde gegangen, daß das Volk nicht reif war. Jenes Wort von der notwendigen Reife eines Volkes zum Sozialismus ist dialektischer Seiltanz. Reif werden kann man nur in stündlicher und täglicher Arbeit, aber nicht, wenn eine Mauer zwischen Leben und Tat gesetzt ist. Kein Mensch wird reif allein durch Wissen, man muß ihm die Möglichkeit zum Marschieren geben, dann wird er, trotz Schwankens, trotz hemmender Nebenwege, zum Ziel kommen« (I,167).
1927 erreichte in der Weimarer Republik die Periode der

10 Ernst Toller, »Die deutsche Konterrevolution«, in: E. T., *Quer durch. Reisebilder und Reden*, Berlin 1930, S. 194.

Neuen Sachlichkeit, die 1923/24 den Expressionismus abge-
löst hatte, ihren Höhepunkt. Die großen revolutionären
Gefühle, das menschheitliche Pathos wurden jetzt als un-
zeitgemäß abgelehnt, genauso wie die Ideale, für die Dichter
und Revolutionäre gekämpft hatten. Es war die Zeit der
Restauration und des Wirtschaftswunders fünf Jahre nach
Ende des Krieges, als sich die Industrie schnell erholte,
wieder ein hohes technisches Niveau erreichte und die
Auslandsmärkte zurückeroberte. »1927 war für Deutschland ein Jahr der Hochkonjunktur«[11], schreibt Richard
Lewinsohn. Hohe Investitionen verbunden mit niedrigen
Zinssätzen heizten diese Konjunktur an, schnellten die Pro-
duktionsquoten und den Umsatz nach oben und drückten
die Arbeitslosenziffer herab. Wirtschaftlich und politisch
war die Republik arriviert; es herrschten Ruhe und Ordnung, nur unter der Oberfläche gärte es weiter. Es ist
typisch, daß in den filmischen Zwischenspielen nur die
industrielle, wirtschaftliche und technische Seite des Lebens
und der Großstadt gezeigt werden. Während in der Nach-
kriegsphase von 1919 bis 1924 die künstlerischen und politischen Revolutionäre viel geredet und wenig geleistet hatten, so daß das Volk ihrer müde wurde, nahmen von diesem Zeitpunkt an die Ingenieure, die Techniker und Ver-
waltungsbeamten die Deichsel in die Hand und zogen die
Karre aus dem Dreck, wenigstens was das materielle Wohl-
ergehen des Volkes betraf. Sie interessierten sich nicht für
politische Fragen, sondern nur dafür, ob etwas technisch
klappte und kaufmännisch verwertbar war. In diesem
Sinne ist Kilman auch nur ein Managertyp; für ihn ist der
Staat eine »komplizierte Maschine« (35; III,41), deren rei-
bungslose Funktion nur er als Fachmann gewährleisten
kann, und deren »Mechanismus« (35; III,41) nicht durch
Dilettanten gestört werden darf. Er gibt der Direktion der

11 Zitiert in Erwin Piscator, *Das Politische Theater*, Neubearb. von
Felix Gasbarra, mit einem Vorw. von Wolfgang Drews, Reinbek bei
Hamburg 1963, S. 117. [Fortan zit. als: Piscator.]

staatlichen Chemischen Werke Anweisungen, steht mit Börse
und Banken in enger Verbindung, hat alle Fäden in der Hand
und lenkt den »inneren Betrieb« (37; III,42), ohne zu merken, daß er sich selbst dadurch wiederum abhängig von den
Industriellen und Bankiers macht, die trotz aller Konzes-
sionen und billigen Staatskredite nicht mit ihm zufrieden
sind. So meint der Sohn des Bankiers: »Deinen Kilman
kannst du in die Konkursmasse der Demokratie werfen.
Riech mal die Luft in der Industrie. Ich würde dir raten,
auf nationale Diktatur zu setzen« (26; III,31).

In ihrem Bestreben nach Zerstörung der Demokratie wird
die Industrie vom alten preußischen Landadel unterstützt,
der mit der Revolution auch das Recht auf politische Äm-
ter verloren hatte und dieses der Republik nicht verzeihen
konnte. Zu diesen feudalen Kreisen gehören Baron Friedrich und Graf Lande, die wieder für die Regierung arbeiten, aber gleichzeitig auch gegen sie konspirieren und auf
die Gelegenheit zu einem Putsch warten, um selber wie in
alten Zeiten die Macht zu übernehmen. Die jugendlichen
Hitzköpfe werden vom erfahreneren Kriegsminister zu-
rückgehalten, der meint, daß man auch auf legalem Wege
alles erreichen könne, was man wolle – eine Auffassung, die
sich auch Adolf Hitler zu eigen machte und erfolgreich in
die Tat umsetzte. Graf Lande plant aber trotz der Bedenken des Ministers den Mord an Kilman, genauso wie sich
Karl Thomas über die Bedenken von Kroll hinwegsetzt.
Beide, der rechts- und der linksradikale Verschwörer, wollen Kilman aus dem Weg räumen, um durch diese Tat ein
Zeichen zu setzen, ein Fanal zu einem neuen Beginn, einer
Revolution, einer Zeitenwende. *Tat* war ein Schlüsselwort
des Aktivismus, sowohl bei der revolutionären Linken als
auch bei der nationalistischen Rechten. Die Täter bedenken
jedoch nicht, daß die Stimmung im Volk antirevolutionär
ist, daß ihre Tat ins Leere verpuffen muß, ja, daß das Volk
sie lynchen würde, falls es könnte. Karl Thomas sieht im
letzten Moment ein, daß die Tat nichts ändern wird, und
der Schuß fällt aus der Pistole des nationalistischen Stu-

denten. Reinhold Grimm bemerkt dazu treffend: »Mit diesem Theatercoup von seltener Massivität, der natürlich
dadurch gekrönt wird, daß man den Falschen verhaftet,
kommentierte Ernst Toller, sechs Jahre im voraus, die Ereignisse von 1933. Die symbolträchtige Geste, trotz aller
Vorbehalte, ist unmißverständlich. *Les extrêmes se tou-
chent.* Über die Schulter einer zerstrittenen und orientie-
rungslosen Linken zerstörte die faschistische Rechte den
Staat von Weimar.«[12] Der nationalistische Student erinnert
an Ernst von Salomon, der als Zwanzigjähriger zu den
Verschwörern gehörte, die Walther Rathenau in Berlin ermordeten. Er hat in seinem Roman *Die Geächteten* (1929)
sein Leben in den Freikorps und seine Rolle in der Ver-
schwörung, für die er zu fünf Jahren Zuchthaus verurteilt
wurde, geschildert. Genau wie der Student hatte er »den
Krieg nicht draußen mitgemacht« (70; III,76), sondern
war als Kadett in der preußisch-militärischen Tradition
erzogen worden und glaubte an alle völkischen Parolen, an
die Verherrlichung des Krieges, den Antisemitismus, die
Dolchstoßlegende.
Es ist nicht die *Tat*, sondern das *Tun*, das in neusachlichen
Zeiten notwendig ist. Die Ausnahmesituation verlangt die
Tat, der Alltag, das tägliche Leben das Tun: »Tat und
Tun – Einmaliges und Mannigfaltiges – so deuten wir das
Wesen der Revolution. Tat wirkt Macht. Die Mittel der
Tat werden nicht allein von uns gewählt. Wer heute auf
der Ebene der Politik, im Miteinander ökonomischer,
menschlicher Interessen kämpfen will, muß klar wissen,
daß Gesetz und Folgen seines Kampfes von anderen Mäch-
ten bestimmt werden als seinen guten Absichten, daß ihm
oft Art der Wehr und Gegenwehr aufgezwungen werden,
die er als tragisch empfinden muß, an denen er, im tiefen
Sinne des Wortes, verbluten kann« (I,162). Auch der Stu-

12 Reinhold Grimm, »Zwischen Expressionismus und Faschismus. Be-
merkungen zum Drama der Zwanziger Jahre«, in: R. G. / Jost Hermand
(Hrsg.), *Die sogenannten Zwanziger Jahre*, Bad Homburg v. d. H. /
Berlin / Zürich 1970, S. 37 f.

dent, der Kilman erschießt, ist ein Idealist, der von anderen, denen es um Karriere und Macht geht, manipuliert
und mißbraucht wird. Durch die besonders an den Hoch-
schulen damals virulente reaktionäre Propaganda vergiftet,
glaubt er tatsächlich, daß Kilman ein Revolutionär und
Bolschewik ist, der Deutschland »an die Juden verkauft«
(89; III,95). Er ist genauso verwirrt wie Karl Thomas, für
den Kilman nicht revolutionär genug ist, ein Verräter am
Sozialismus und verabscheuenswürdiger Kompromißler.
Eva Berg, Albert Kroll und Mutter Meller sind mit diesem
Staat, in dem die sozialdemokratische zwar die stärkste
Partei ist, in dem aber nicht die Arbeiter, sondern die In-
dustriellen, die Agrarier und die Militärs den Ton angeben,
nur bedingt zufrieden, aber sie wollen ihn durch zu diesem
Zeitpunkt einzig und allein angebrachtes *Tun* ändern:

»Tun aber ist Mannigfaltiges, ist Bauen, ist Bewährung.
Wer tun will, muß Kraft und Willen zu neuer Bindung,
neuer Bündung besitzen, muß Bereitschaft für Jahre und
Jahrzehnte mitbringen aus seiner menschlichen Fülle.
Zum Tun, zum Bauen genügt nicht Macht. Als Schöpfe-
risches muß hinzukommen Geist der Gemeinschaft. [. . .]:
das ist zerstörende und schaffende Liebe, gebunden in
Freiheit, frei in Gebundenheit. Geist: das ist von Gefühl
und Erkenntnis zugleich besessen sein, skeptisches Wissen
haben und trotzdem die unbedingte Hingabe, die Kühn-
heit des Gläubigen, in heller Entschlossenheit Dennoch!
sagen, Grenzen sehen, alle und noch die grauesten Wirk-
lichkeiten tragen und ertragen können und sich nicht
lähmen lassen.« (I,162 f.)

Die »großen Führer« (60; III,65), und Toller meint damit
die ermordeten Vorkämpfer Gustav Landauer, Karl Lieb-
knecht, Rosa Luxemburg und Kurt Eisner, besaßen nach
Kroll diese Haltung: »Drauflos marschierten sie. Unter den
Füßen Glas. Und wenn sie durchsahen, sahen sie den Abgrund aus Feindschaft der andern und Dummheit der eig-
nen. Und sahen vielleicht noch mehr« (60; III,65). Auch
Kroll will »sehen lernen und sich dennoch nicht unter-

bekommen lassen« (60; III,65). Deshalb kämpft er wie Eva
und Mutter Meller mit den Genossen für die Rechte der
Arbeiter in der Partei, in der Gewerkschaft, auf Streik-
versammlungen, vor den Fabriktoren, bei den Wahlen, um
im geeigneten Moment mitreden zu können: »Weil ich mit
Volldampf fahren will, wenns Zeit ist. Es gehört Kraft
dazu, sich zu gedulden« (68; III,73). Daß dieses auch Tollers eigene Meinung war, geht aus einem Brief an K. her-
vor:

> »Man vergißt scheinbar, in welchem Stadium der Revo-
> lution wir uns befinden, daß uns nur zielklare, prak-
> tische Arbeit, vor allem praktische Kleinarbeit gegen-
> wärtig übrigbleibt, ja, daß wir aus taktischen Gründen
> gezwungen sind, ein Arbeitsprogramm für die nächste
> Zeit aufzustellen, das als teilweises ›Aufgeben‹ unserer
> revolutionären Ziele unklaren und böswilligen Köpfen
> erscheinen mag.
> Wir sind vorerst gezwungen, für die demokratische Re-
> publik einzutreten, in allen Verwaltungsfragen mitzu-
> arbeiten, ja, wir werden vielleicht gezwungen sein, in
> absehbarer Zeit, unter völliger Wahrung unserer Selb-
> ständigkeit und bei allen Sicherungen, mit den Mehrheits-
> sozialisten ein kleines Stück Zweckweg zusammenzu-
> gehen. Uns fällt die undankbare Aufgabe zu, auch die
> minimalen Errungenschaften zu verteidigen, wir können
> es nicht verantworten, mit großer Geste auf sie zu ver-
> zichten, weil wir ›aufs Ganze‹ gehen. Die politische
> Entwicklung wird sprunghaft vor sich gehen, die wirt-
> schaftliche nie. Der Wille der Arbeiter, die politische
> Macht zu erobern, muß gestählt werden, aber ebenso
> muß er die ökonomischen Gesetze erkennen lernen.«
> (V,49)

Kroll betrachtet auch die Wahl als »Sprungbrett zu Taten«
(64; III,70). Das Modell für diese Wahl ist offensichtlich
die 1925 nach dem Tod von Friedrich Ebert vorgenom-
mene Wahl des Reichspräsidenten. Damals wurde Hindenburg (Kriegsminister von Wandsring) von den konserva-

tiven, rechten Parteien, dem *Reichsblock* aufgestellt und
mit 14 655 766 Stimmen gewählt. Der *Volksblock*, be-
stehend aus Zentrum, SPD und Demokraten, stellte den
Gegenkandidaten Wilhelm Marx vom Zentrum (Minister
Kilman), der 13 751 615 Stimmen auf sich vereinigte und
die Wahl wahrscheinlich gewonnen hätte, wenn nicht die
Kommunisten Ernst Thälmann (Maurer Bandke) als eigenen Kandidaten ins Feld geführt hätten, dessen 1 931 151
Stimmen Marx dann zum Sieg fehlten. Einer echten Volks-
front aus Sozialdemokraten, Demokraten, Kommunisten
und anderen republikanisch gesinnten Kräften wäre es ge-
lungen, ihren Kandidaten durchzusetzen. Die Zersplitterung der Arbeiter, die sich selbst oft untereinander schärfer
bekämpften als ihre Feinde, beklagt Toller immer wieder:
»Was in Deutschland seit der Ausschaltung Deutschlands
als weltpolitischem Subjekt sozial-wirtschaftlich, finanz-
politisch, kulturpolitisch zu erreichen wäre, wird unmöglich gemacht durch die katastrophale Zersplitterung der
Arbeiterschaft, durch den Minuten-Opportunismus der
Sozialdemokraten, die Blindheit der Extremisten, durch die
Halsstarrigkeit der auf ihren Mammon und ihre Macht-
stellung pochenden Industrieherren und durch das Fehlen
republikanisch-demokratischen Bürgertums« (V,68).
Der fehlende Geist »republikanisch-demokratischen Bürgertums« wird bei der Wahl durch den Wahlleiter, die alte
Frau und besonders durch Pickel demonstriert, der als
komische Person, als Pickelhering, als Verkörperung des
Kleinbürgers aus Krähwinkel, durch das Stück geistert. Er
hat jedoch das Herz auf dem rechten Fleck und will sich
beim Minister über die Enteignung seines Grundstücks beschweren, über das eine Eisenbahnlinie gebaut wird, die
sein verschlafenes Städtchen, in dem Radio und Elektrizität
noch als Erfindungen des Teufels angesehen werden, in die
moderne Welt einbeziehen wird. Er kommt aus der technisch und politisch rückständigen Provinz – die Uhren
gehen immer nach – in die moderne Großstadt, wo die
Uhren vorgehen, um sich sein Recht zu holen. Seine Hal-

tung gegenüber dem Minister und den Regierungsbeamten ist eine Mischung von Größenwahn, Biederkeit und Unterwürfigkeit. Er hat den Minister gewählt und erwartet, daß dieser die Probleme der Welt, die soziale Frage, das Rassenproblem, die Kriegsgefahr, die er dumpf ahnt, lösen wird. Aber er kann weder diese noch sein eigenes Problem adäquat formulieren, und so wird nicht nur sein Grundstück, sondern auch er selber überfahren.

Toller satirisiert auch die Intellektuellen, die über Rassenprobleme, über Zuchtwahl zur Veredelung »der arg gesunkenen weißen Rasse« (78; III,84) diskutieren, statt sich mit wirklich akuten Problemen zu befassen. Er warf Kurt Hiller, der in Berlin einen »Politischen Rat geistiger Arbeiter« gründete, das Versagen der Intellektuellen im Krieg vor:

> »Sie setzen voraus, daß jeder ›Geistige‹ a priori ein höheres Urteilsvermögen habe als Piefke. Denken Sie einmal daran, was die ›Geistigen‹ im Krieg für ein Urteilsvermögen besaßen.
>
> Sie fordern die ›Logokratie‹, die Herrschaft des Geistes. Woher wollen Sie die Macht nehmen? Sie wissen, daß ohne soziale Umgestaltung die ›Logokratie‹ ein Nonsens wäre, aber die Macht muß erkämpft, mit sehr realen Mitteln erkämpft werden und die errungene Macht muß durch sehr reale Mittel und durch die freiwillige Anerkennung der Geister gestützt werden.« (V,166)

Toller streitet überhaupt ab, daß eine »Phalanx der geistigen Arbeiter in Deutschland« (V,70), wie es sie 1848 vielleicht gegeben habe, existiere. Er scheut sich auch nicht, sich selbst zu den unwirksamen Intellektuellen zu zählen, indem er sich über seine eigenen frühen Auffassungen lustig macht, wenn er den Vorsitzenden der »Gruppe geistiger Kopfarbeiter« als Thema ankündigen läßt: »Die proletarische Gemeinschaft der Liebe und die Aufgabe der Geistigen« (III,86).

Karl Thomas, der Gefühlsrevolutionär und politische Aktivist, der acht Jahre von der Welt abgetrennt war und geistig noch immer in der Ausnahmesituation der Revolution lebt, findet sich in der Welt der »neuen Sachlichkeit« (79; III,85) nicht mehr zurecht, er versteht sie einfach nicht, weder geistig noch in ihren äußerlichen Manifestationen. Aus der Einsamkeit der Zelle wird er in die Geschäftigkeit der modernen Großstadt mit ihren Straßenbahnen, Autos, Untergrundbahnen und Flugzeugen[13] gestoßen, seine hochfliegenden Pläne der Menschheitserlösung werden mit der sozialen Wirklichkeit der Stabilisierungsphase konfrontiert. Sein früherer Genosse Kilman, den er erschossen wähnte, kümmert sich nur darum, daß die Wirtschaft floriert und das Staatsprestige keinen Schaden erleidet, und er verbündet sich zu diesen Zwecken mit reaktionären Kräften. Kroll kämpft auf sachliche Art für seine Ziele, und selbst Eva Bergs Einstellung zur Liebe ist sachlich, nicht sentimental. War sie im Vorspiel eine junge, heißblütige Revolutionärin, so ist sie nun eine »Frau der ›neuen Sachlichkeit‹«[14]. Im filmischen Zwischenbild vor dem zweiten Akt wird gezeigt, wie Frauen im Büro, in technischen Berufen und im Staatsdienst ihre Arbeit verrichten. Selbst die mit ihren typisch deutschen Namen die deutsche Jugend der Zeit repräsentierenden Kinder Fritz und Grete sind neusachlich eingestellt und lernen vom Krieg nur Zahlen und Statistiken. Als Karl Thomas ihnen vom Leiden der Soldaten erzählt, sind sie gefühlsmäßig beeindruckt, aber dann bezeichnen sie ihn als dumm, weil er sich nicht ausrechnete, daß er mit nur wenigen Anhängern nicht gegen den Krieg kämpfen und gegen eine große Übermacht gewinnen konnte. Mehr als für den Krieg und die Leiden der Menschheit interessieren sich die Kinder für die Vergnügungen der modernen Großstadt, für das Kino, das ihnen Abenteuer zeigt, die sie nie selber erleben werden, für die von Amerika eingeführten brutalen Boxkämpfe und Sechstagerennen und

13 Die Darstellung der Großstadt und ihrer Wirkung auf den Menschen war um diese Zeit eines der wichtigsten Themen in Literatur und Film. Vgl. z. B. Alfred Döblins Roman *Berlin Alexanderplatz*, der auch in den Jahren 1927–29 entstand, und Fritz Langs Film *Metropolis* von 1926.

für exotische Tänze wie Charleston und Black Bottom. Die
Sucht der Menge nach Unterhaltung, die Flucht in den
Amüsierbetrieb wird ebenso in der Hotelszene sichtbar.
Eine neusachliche Einstellung zeigt auch der zweite Wahlbeisitzer, dem es nicht darauf ankommt, für welche Partei
die Wähler ihre Stimmen abgeben, sondern daß in seinem
Wahllokal die prozentual höchste Wahlbeteiligung erzielt
wird. Die Wahl ist für ihn ein großer Sportkampf und die
Statistik wichtiger als die Politik. In der Radiostation werden Naturkatastrophen, Börsenberichte, Aufstände, Hun-
gersnöte, Sportberichte und Reklameanzeigen kommentarlos
hintereinander gebracht und sogar auf einer Scheibe, einer
frühen Form des Fernsehschirms, gezeigt. Die Simultaneität
der Ereignisse ist auf die Sensationsgier der Zuhörer zu-
geschnitten und macht es ihnen unmöglich, sich gefühlsmäßig zu engagieren. Toller warnte vor der Gefährlichkeit
der Massenmedien in der Hand von Demagogen:

»Was Sie mir über den Rundfunk berichten, hat mich
sehr nachdenklich gemacht. Alle Mittel der Technik ber-
gen zwei Kräfte: aufbauende und zerstörende. Die Menschen haben bis jetzt die kühnsten Berechnungen, die
herrlichsten Erfindungen dazu benutzt, einander totzu-
schlagen, Städte zu vergasen, Länder zu verwüsten. Diese
gefährliche Doppelkraft ist auch dem Rundfunk eigen.
Ich kann mir wohl vorstellen, wie in künftigen Kriegen
die Herrschenden Lügen über Lügen hinausfunken, die
Welt verwirren, den Frieden verhindern. Dieser Gefahr
begegnen wir nur dann, wenn wir in ruhigen Zeiten den
Rundfunk dazu gebrauchen, daß die Völker sich kennen
lernen, so daß Hetzapostel in den leeren Raum sprechen.«
(V,187)

Wenige Jahre später benutzte Joseph Goebbels als Hitlers
Minister für Volksaufklärung und Propaganda das Radio
zu genau diesem Zweck und ließ sogar einen billigen
»Volksempfänger« konstruieren, damit sich niemand seinen

14 Walther Steinthal im *12-Uhr-Blatt* vom 5. September 1927.

Lügen und Haßtiraden entziehen konnte, wenn er zum Judenboykott oder zum totalen Krieg aufrief. Auch die Beeinflussung und Gleichschaltung der Presse durch die Regierung, wie sie von den Nazis später durchgeführt wurde, sieht Toller in der Szene voraus, in der Baron Friedrich sich als offizieller Pressesprecher der Regierung an die versammelten Journalisten wendet. So ähnlich wie er hätte sich auch Goebbels oder Hitler ausdrücken können.

Schon nach seinem ersten Zusammentreffen mit Kilman will Karl Thomas zusammen mit Eva Berg aus der komplizierten modernen Wirklichkeit in exotische, sonnige Länder entfliehen, in denen die Menschen noch in paradiesischer, natürlicher Einfachheit miteinander leben. Eva soll ihm »Morgen sein und Traum der Zukunft« (44; III,50). Doch sie belehrt ihn, daß die modernen Probleme dadurch nicht gelöst werden. Die Flucht in die Südsee war eines der beliebtesten Themen der Literatur der Neuen Sachlichkeit und ist ein Indiz für die Unzufriedenheit der Schriftsteller mit den Zuständen in der Republik.

Als Karl Thomas dann nach dem Mord an Kilman erfährt, daß der Student diesen aus Gründen erschoß, die den seinigen entgegengesetzt sind, wird er vollkommen verwirrt: Die anderen wollen nichts mehr von ihm wissen, und er selbst ist der Welt entfremdet. Alles hat sich in sein Gegenteil verkehrt, das Menschliche ist unnormal, das Unmenschliche normal. Der Utopist wird von Kilman als »hitzige(r) Träumer« (35; III,40), von Kroll als »Feigling« und »Narr« (68; III,73) und zuletzt von Professor Lüdin als »Erzfeind« (106; III,112) der Menschheit bezeichnet. Es ist nicht so sehr die politische Enttäuschung als vielmehr die zwischenmenschliche Entfremdung, die Karl Thomas in den Tod treibt. Hatte der Schluß von Tollers vorigem Drama *Hinkemann* die Glücksmöglichkeit wenigstens noch offengelassen: »Jeder Tag kann das Paradies bringen, jede Nacht die Sintflut«,[15] so endet *Hoppla, wir leben!* ganz in Ver-

---

15 Ernst Toller, *Hinkemann. Eine Tragödie*, S. 54.

zweiflung: »Die Sintflut ...« (109; III,115) sind Karl Thomas' letzte Worte. Sein Ende erinnert an den Selbstmord
des Kassierers in Georg Kaisers *Von morgens bis mitter-
nachts*: Karl Thomas' »Wohin? Wohin?« (109; III,115) echot
die Frage des Kassierers, auf die beide keine Antwort finden. Beide sind auch am Ende des Stückes zu ihrem Aus-
gangspunkt zurückgekommen und sehen keinen Ausweg aus
ihrer Lage mehr. Sie können nicht aus ihrem »Gefängnis«
ausbrechen. Reinhold Grimm hat auf die Kreisstruktur und
die Tanzsymbolik in beiden Stücken aufmerksam gemacht.[16]
Tollers Stück ist aber kein expressionistisches Stationen-
oder Verkündigungsdrama. Gewiß zeigt es auch »das
Gegenüber von isoliertem Ich und fremd gewordener
Welt«[17], aber die ausschließliche Bezogenheit auf ein Ein-
zelschicksal fehlt, die Welt wird nicht nur aus der Sicht
des expressionistischen Ichs gezeigt, wie es noch in Tollers
Wandlung der Fall war. Auch entwickelt sich nicht wie im
expressionistischen Stationenstück ein dramatischer Konflikt, der Zusammenstoß des revolutionären Einzelgängers
mit der Wirklichkeit der Weimarer Republik wird vielmehr
in einer Art Revuetechnik gezeigt, die es Toller ermöglicht,
ein objektiveres Bild der Wirklichkeit zu zeichnen, als es im
expressionistischen Drama der Fall ist. Die endgültige Form
des Stückes ergab sich aus Tollers Zusammenarbeit mit
Erwin Piscator, die dieser in seiner Studie *Das Politische
Theater* (1929) skizziert hat. Piscators Ziel war »eine Art
großer, politischer Revue«[18], die dem Wesen des expressionistischen Dramas durchaus entgegengesetzt war. »Der
philosophisch-pädagogische Dichter bespiegelt in seinem
Werk nicht mehr sich selbst, die Zeiten der Ich-Kunst sind
vorbei. Eine unpersönliche, sachliche Beziehung zwischen
dem Autor und seinen Figuren ermöglicht erst die Klar-

16 Siehe Anm. 12.
17 Peter Szondi, *Theorie des modernen Dramas*, Frankfurt a. M. 1963
(edition suhrkamp 27), S. 106.
18 Piscator, S. 146.

legung ihrer geistigen Struktur, ihrer Bedeutung, ihres Wertes.«[19] In Tollers Stücken besteht dieses sachliche Verhältnis des Autors zu seinen Charakteren nur bedingt, und Piscator versuchte aus diesem Grunde soweit wie möglich unpersönliche geschichtliche und politische, soziale und ökonomische Daten und Fakten mit ins Stück einzubeziehen. Eines seiner Mittel dazu war der Film: Er ließ nicht weniger als 3000 Meter Film drehen, auch Szenen, in denen der Schauspieler in der Rolle des Karl Thomas auftrat, und er ließ außerdem altes Filmmaterial in den Archiven sammeln. Für das »Filmische Zwischenspiel«, das »Szenen aus den Jahren 1919–1927« brachte und nach dem »Vorspiel« auf der Bühne gezeigt wurde, »entstand ein Manuskript, das gegen vierhundert Daten der Politik, Wirtschaft, Kultur, Gesellschaft, Sport, Mode usw. umfaßte«, und für das »Stück selbst wurde ein regelrechtes Filmmanuskript hergestellt«[20], und nach diesen Manuskripten dann die Drehbücher. Die alten und neuen Filmstreifen wurden zusammengeschnitten und montiert. Piscator machte sich große Mühe, den Film durch eine ausgefeilte Montagetechnik mit den Spielszenen zu verbinden, so daß der Filmeinleitung direkt in die auf der Bühne gespielte Szene überging oder der Film selbst in einzelne Szenen eingeblendet wurde, da die Wände der Bühne transparent waren und jederzeit als Projektionsfläche für den Film benutzt werden konnten.

Eine der film- und spieltechnisch interessantesten Szenen war die des Radiotelegrafisten im Hotel: »Hier koppelte ich Lautsprechermeldung, Schauspielertext und Filmbild zusammen. Der Film mußte mit beiden, wie man heute sagen würde, synchronisiert werden, d. h. die Satzlänge mußte genau mit der Stoppuhr festgestellt und danach der Filmstreifen geschnitten werden.«[21] Der Film und das Bühnengeschehen wiederum wurden untermalt durch die atonale Musik Edmund Meisels, die allgemeinen Beifall fand:

19 Piscator, S. 147.
20 Piscator, S. 150.
21 Piscator, S. 151.

»[...] die stampfenden, rhythmischen Klänge einer auf-
rührenden und aufreizenden Musik, die in großartigem
Raffinement Marseillaise und Deutschlandlied verkup-
pelt«,[22] lobte Felix Hollaender.

Während also durch den Film geschichtliche und gesellschaftliche Beziehungen gezeigt und Verbindungslinien gezogen wurden, sollte die gesellschaftliche Ordnung auch
räumlich auf der Bühne versinnbildlicht werden.[23] Zu diesem Zweck entwarf Piscator das von Toller in der »An-
merkung für die Regie« (5; III,10) als Spielplatz vorge-
schlagene »Gerüst«, einen »Etagenbau mit vielen verschie-
denen Spielplätzen über- und nebeneinander«[24]. Diese
Etagenbühne stand wiederum auf einer Drehbühne. So
wurde ein schneller Szenenwechsel möglich, denn Toller
brachte wie im Film Kurzszenen und sprang zwischen ver-
schiedenen Schauplätzen hin und her. Oft wurde die gerade
gespielte Szene auch durch einen Scheinwerfer aus dem
Dunkel der anderen Schauplätze hervorgehoben.

Friedrich Wolfgang Knellesen[25] hat den technischen Ablauf
der Piscator-Inszenierung anhand des erhaltenen Regie-
buches[26] verfolgt. Es schreibt in sechs Spalten mit vielen
Zeichnungen den Ausdruck der Schauspieler, ihre Stellun-
gen und Gänge, die Atmosphäre und Stimmung, den Film,
Musik und Geräusche und zuletzt die Beleuchtung vor.
Piscator wurde bei der Inszenierung unterstützt durch einen
sorgfältig ausgewählten Stab von Mitarbeitern, der eine
ganze Reihe berühmter Namen auf dem Gebiet des Theaters
und Films aus der Zeit der Weimarer Republik aufweist:

Regie-Assistenten: Günther Haenel
                        Leopold Lindtberg

22 Im *8-Uhr-Abendblatt* vom 5. September 1927.
23 Piscator, S. 149.
24 Piscator, S. 149.
25 Friedrich Wolfgang Knellesen, *Agitation auf der Bühne. Das politische Theater der Weimarer Republik*, Emsdetten 1950, S. 116–133.
26 Im Piscator-Archiv der Akademie der Künste in Berlin.

Inspektion:		Hans Prenschkoff
		Hans Ingber
Film:		Kurt Oertel
		Walter Ruttmann
Musik:		Edmund Meisel
Projektion:		Heartfield
Souffleuse:		Else Kaethler
Ballett:		Marie Wigmann
Chanson:	Text:	Walter Mehring
	Musik:	Edmund Meisel
	Vortrag:	Kate Kühl
		Rosa Valetti
Bühnenbild:		Traugott Müller
Ausführung:		Mannesmann Werke

Das Zusammenspiel von Handlung, Film, Musik und Raum wurde im allgemeinen positiv bewertet; Ernst Heilbronn spricht sogar von einem neuen Gesamtkunstwerk: »In der Inszenierung von ›Hoppla – wir leben!‹ hat Piscator ganz aus seiner offen zutage liegenden Entwicklung und aus seiner Eigenart ein bühnentechnisch Fertiges geleistet. Diese Inszenierung bedeutet einen Merkstein für ihn, und wohl nicht nur für ihn. In dieser Inszenierung ist das dichterische Werk nur Teil neben Teilen; der Film, die Musik (sie ist seltsam aufreizend: Edmund Meisel) stehen in gleicher Funktion, gleichberechtigte Teile, daneben. Diese Inszenierung erstrebt ein neues Gesamtkunstwerk.«[27]

Aus politischen Gründen nahm Piscator auch weitreichende Änderungen im Text des Stückes vor. Zunächst wurde die soziale Zugehörigkeit der auftretenden Personen schärfer herausgearbeitet: »Nicht die private Veranlagung, der individuelle Komplex war ausschlaggebend, sondern der Typus, der Vertreter einer bestimmten gesellschaftlichen und ökonomischen Anschauung. Nur zwei Figuren machten eine Ausnahme, der tragische und der komische Held des Stückes, der Kleinbürger Pickel, der die ideale Ver-

27 In der *Frankfurter Zeitung* vom 6. September 1927.

körperung der Republik sucht und der Arbeiter Thomas, der die Vollendung der Revolution will. An diesen beiden klassenmäßig entwurzelten Gestalten wurde die Bindung der anderen Figuren deutlich.«[28] Aus dem Bourgeoissöhnchen und linksradikalen Studenten Karl Thomas wurde also ein – leider nicht klassenbewußter – Proletarier. Trotzdem bedingte diese Umfunktionierung des Charakters Striche im Text wie die Ausmerzung von Karl Thomas' Zweifeln an den Motiven der Revolutionäre oder seiner Kritik an der fehlenden konsequent sozialistischen Haltung der Arbeiter, wie sie sich etwa beim zweiten Arbeiter im Wahllokal bemerkbar macht, der vorschlägt, als der erste ihm erzählt, wie er es dem »Bourgeoisweib«, das Mitleid für die Arbeiter bekundete, gegeben habe: »Aufhängen sollte man sie, nichts als aufhängen. Alle miteinander« (56; III,62). Gleich darauf gibt er jedoch für die Partei der Bourgeoisie, für Kilman, seine Stimme ab, da »die Gnädige von der Lina auch dafür stimmt« (61; III,67), und weil diese der Lina vor dem Sonntagsausgang immer die Hand gibt.[29] Während in der zweiten Szene des dritten Aktes im Hotel mehrere Kurzszenen (»Dienstbotenzimmer«; »Klubzimmer«; »Schreibsaal«) ganz ausgelassen wurden, schob Piscator in die zweite Szene des vierten Aktes nach dem Attentat auf Kilman ein Telefongespräch zwischen dem Polizeimajor – nicht Polizeioberst – und Graf Lande ein: Graf Lande ist der irrigen Meinung, daß der wirkliche Attentäter verhaftet wurde und empfiehlt ihm dem Major, der auch zu den nationalen Kreisen gehört, worauf dieser Karl Thomas mit Samthandschuhen anfaßt und ihn sofort zu Professor Lüdin schickt, obgleich er glaubt, daß Karl Thomas seine Verwirrung nur simuliert. Folgerichtig wurde dann auch die dritte Szene vor dem Untersuchungsrichter ausgelassen. Im Gefängnis wurden die Klopfzeichen in Worte übersetzt auf einen Schleier projiziert. Nachdem der

---

28 Piscator, S. 152.
29 Diese Anekdote wird von Toller auch in *Eine Jugend in Deutschland* erzählt, um das falsche geistige Bewußtsein der Arbeiter zu zeigen.

Aufseher Rand den Selbstmord von Karl Thomas entdeckt
und hinausgeschrien hat, endete das Drama in der Inszenierung von Piscator mit folgendem Dialog:

»MUTTER MELLER *(zu sich)*. Ist das wahr?

EVA *(sinkt auf den Stuhl, weinend)*.

KROLL *(klopft und spricht zugleich)*.

FILM *(diese Schrift geht von seiner Zelle nach oben und
bleibt an der Stirn der Leinwand stehen)*. Das durfte
er nicht tun, so stirbt kein Revolutionär.

EVA *(klopft und spricht zugleich)*.

FILMSCHRIFT *(ebenso)*. Der Alltag hat ihn zerbrochen.

MUTTER MELLER *(klopft und spricht zugleich)*.

FILMSCHRIFT *(ebenso)*. Verdammte Welt. Es bleibt einem
nur übrig, sich aufzuhängen oder sie zu ändern.

*Das Wort ›Brüder‹ läuft über die ganze Leinwand,
handgeschrieben, auch über die anderen Sätze, dreht
sich zu einem Globus und bricht in der Mitte ent-
zwei.*«[30]

Die Wirkung des Schlusses auf die Jugend war stark, sie
stimmte »spontan die ›Internationale‹ an, die stehend von
uns allen bis zum Schluß mitgesungen wurde«,[31] behauptet
Piscator. Toller jedoch hat diesen didaktischen Schluß nicht
in die Endfassung übernommen, da er das Publikum »nicht
mit moralischen Traktätchen und dem Ruf ›Es lebe die
politische Linie Nr. 73‹« (I,146) aus dem Theater entlassen
wollte.

Neben diesem wurden zwei weitere mögliche Schlußszenen
von Piscator und Toller in Erwägung gezogen: In einem
kehrt Karl Thomas, der geflohen ist, freiwillig ins Gefängnis

30 Nach dem Regiebuch Piscators im Piscator-Archiv der Akademie
der Künste in Berlin.
31 Piscator, S. 154. Felix Hollaender allerdings vermißte den revolutionären Elan: »Wie in einem gemütlichen Gesangsverein stimmten
etliche junge Leute am Schluß der Vorstellung das Lied der Internationale an. Die anderen gingen, ohne den Versuch einer Störung zu
machen, sanftmütig nach Hause. Dies ist ein Volksurteil über die Dich-
tung. Bei Gott, es war nach der ersten Weber-Aufführung anders«
(8-Uhr-Abendblatt vom 5. September 1927).

zurück. Toller lehnte diesen Schluß ab (I,147). Der andere ist im Kern in der Szene im Untersuchungsraum der psychiatrischen Klinik in Karl Thomas' Gespräch mit Professor Lüdin enthalten. Toller schreibt dazu: »In meiner ersten Fassung rannte Thomas, der die Welt von 1927 nicht verstand, ins Irrenhaus zum Psychiater, erkennt in der Unterredung mit dem Arzt, daß es zwei Arten von gefährlichen Narren gibt, die einen, die in Isolierzellen festgehalten werden, die andern, die als Politiker und Militärs gegen die Menschheit lostoben. Da begreift er die alten Kameraden, die in zäher Alltagsarbeit die Idee weiterführen, er will das Irrenhaus verlassen, aber, weil er begriffen, weil er zur Wirklichkeit die Beziehung des reifen Menschen gewonnen hat, läßt ihn der psychiatrische Beamte nicht mehr hinaus, jetzt erst sei er ›staatsgefährlich‹ geworden, nicht vorher, da er ein unbequemer Träumer war« (I,147).

In seiner Bearbeitung versuchte Piscator also, die politische Aussage des Stückes klarer herauszuarbeiten, im Programmheft schrieb er dagegen: »Dieses Theater ist nicht gegründet, um Politik zu treiben, sondern um die Kunst von der Politik zu befreien.« Dieser den Intentionen Piscators und dem auf der Bühne inszenierten Stück anscheinend widersprechende Satz wurde mißverstanden, aber er ist aus der persönlichen Situation und Überzeugung Piscators zu erklären: Er hatte als Regisseur an der Volksbühne mit seiner Inszenierung von *Gewitter über Gottland* (1926) von Ehm Welk in ein Wespennest gestochen und so viel Opposition im Vorstand der Bühne geweckt, daß diese in seine Regie eingriff und ihm ihr Vertrauen entzog. Daraufhin gelang es Piscator, sich die nötige finanzielle Unterstützung zu verschaffen, um eine eigene Bühne, das »Theater am Nollendorfplatz« zu eröffnen, auf dem er seine Regievorstellungen in die Tat umsetzen konnte, ohne auf die politischen Ansichten des Bühnenvorstandes Rücksicht nehmen zu müssen. Knellesen sieht den Satz jedoch als »dialektische Formulierung jenes Glaubens der romantischen Kommunisten, der die Verwirklichung eines klassenlosen sozialistischen

Weltsystems, das jede Art von Politik im herkömmlichen Sinne überflüssig machen sollte, für unmittelbar bevorstehend erachtete«.[32]

Die Inszenierung Piscators wurde trotz der Kritiken der rechtsradikalen Zeitungen, die sie als »kommunistisch-sozialistisches Theater«[33] abqualifizierten und ihm »Schwarz-Weiß-Charakterologie«[34] vorwarfen, als »staunenswerte Präzisionsarbeit der Regie«[35], »mit einer phänomenalen technischen Phantasie in Szene gesetzt«[36], anerkannt. Aber obgleich Monty Jacobs Piscator vorwarf, »Propagandist einer Partei«[37] zu sein, war die *Rote Fahne*, die Zeitung der KPD, auf die diese Bezeichnung gemünzt war, zwar mit der Inszenierung einverstanden, aber nicht uneingeschränkt mit dem Stück zufrieden. Sie bemängelte vor allem den fehlenden positiven Helden und »Tollers schwächliches Verhältnis zum revolutionären Kampf«[38], was im Klartext heißt, daß er die Zukunft nicht in rosaroten Farben gemalt hatte. Von rechts dagegen wurde Tollers Stück – wiederum mit den Strichen und Zusätzen von Piscator – als zeitfremd bezeichnet, weil sich der Held noch für Ideale einsetzt. So vertritt Walther Steinthal die gleiche zynische Haltung, die Toller in seinem Stück bekämpft: »Die Menschheit lebt in Wellen. Heute sind Achtstundentag und Pazifismus nicht ihre Leidenschaften. Ob gut oder schlimm, das *ist* so – und jede Form des Lebens, jeder Ausdruck des Menschlichen hat sein Zeitrecht.«[39] Die führenden Berliner Kritiker wie Alfred Kerr, Herbert Ihering, Bernhard Diebold und Julius Bab würdigten Piscators künstlerische

32 Knellesen, *Agitation auf der Bühne*, S. 130.
33 Ludwig Sternaux im Berliner *Lokal-Anzeiger* vom 5. September 1927.
34 Walther Steinthal im *12-Uhr-Blatt* vom 5. September 1927.
35 Ebd.
36 Herbert Ihering im *Berliner Börsen-Courier* vom 4. September 1927.
37 In der *Vossischen Zeitung* vom 5. September 1927.
38 Vgl. Alexander Abusch in *Die rote Fahne*, 10. Jg., Nr. 210, 7. September 1927; zit. in: Klaus Kändler, *Drama und Klassenkampf*, Berlin/Weimar 1974, S. 282.
39 Im *12-Uhr-Blatt* vom 5. September 1927.

Pionierleistung und mit Einschränkungen auch das Stück
Tollers. Alfred Kerr begrüßte sogar die Tendenz der Insze-
nierung: »Die Forderung nach der Propagandabühne wird
hier erfüllt. Sie arbeitet ehrlich: von vorn. Im Gegensatz
zu soviel feindlichen, hintenrum schmuggelnden Kinos.
Wacker!«[40] Und Max Osborn formulierte das allgemeine
Urteil: »Aber darüber gab es nur eine Meinung: mit diesem
Theater Piscators ist eine neue, leidenschaftliche aktive
Kraft in das berlinische Kunstleben eingezogen.«[41]
Toller selbst distanzierte sich später von Piscators Inszenierung und schrieb in »Arbeiten«: »Ich bedaure heute, daß
ich, von einer Zeitmode befangen, die Architektonik des
ursprünglichen Werkes zugunsten der Architektonik der
Regie zerbrach. Seine erstrebte Form war stärker als jene,
die auf der Bühne gezeigt wurde. Verantwortlich dafür
bin nur ich, aber ich habe gelernt, und es ist mir heute lieber, daß ein Regisseur zu wenig aus einem Werk heraus-
holt, als daß er zuviel hineinlegt« (I,146). Da die ge-
druckte Fassung des Dramas von Piscator beeinflußt ist,
läßt sich nicht mehr feststellen, was Toller als ursprünglich
»erstrebte Form« ansah. Jedoch ist klar, daß Piscators Zu-
sätze, der Nachdruck, den er auf das Historische, Politische
und Soziale legt, und Tollers mehr aufs Individuell-Mensch-
liche ausgerichtete Handlung sich nicht immer ergänzen, da
die Wechselwirkung nicht stark genug herausgearbeitet ist.
Piscator gibt dies selbst zu, wenn er über den Protagonisten
schreibt: »Thomas ist in Wirklichkeit ein anarchisch senti-
mentaler Typus, der logischerweise zerbricht. Es ist ein
Beweis aus dem Gegenteil. Was an ihm bewiesen wird, ist
der Irrsinn der bürgerlichen Weltordnung.«[42] Dieser Irrsinn
wird besonders drastisch in der surrealistischen Szene im
Untersuchungsraum beim Psychiater Lüdin aufgedeckt; der
Professor entpuppt sich als gefährlicher Faschist, der die

40 Im *Berliner Tageblatt* vom 5. September 1927.
41 In der *Berliner Morgenpost* (undatierter Zeitungsausschnitt im Piscator-Archiv der Akademie der Künste in Berlin).
42 Piscator, S. 148.

Menschheit als »eine Herde von Schweinen« (106; III,111)
betrachtet und alle Idealisten, die für eine bessere Welt
kämpfen, als »Psychopathen«, die ausgemerzt werden
sollten.

Tollers *Hoppla, wir leben!* wurde in vielen Theatern des
In- und Auslandes erfolgreich aufgeführt,[43] bis 1933 in
Deutschland eintrat, was sein Autor in diesem Stück und in
Aufsätzen wie »Reichskanzler Hitler« (I,69) viel schärfer
als seine Kritiker vorhergesagt hatte. »Die Barbarei trium-
phiert, Nationalismus und Rassenhaß und Staatsvergottung
blenden die Augen, die Sinne, die Herzen« (IV,8). Und im
Exil fand Toller bittere Worte der Anklage gegen die Weimarer Republik: »Die Republik hat ihre eigenen Pioniere
verleugnet und verfolgt, die Gegner der Freiheit und der
Menschenwürde geschützt, ihre Taten geduldet, den Geist
der Barbarei sich entfalten lassen, den Geist des Friedens
erstickt, das Recht untergraben, die Rechtlosigkeit ermun-
tert – und so ihren eigenen Sturz vorbereitet. Möge das
deutsche Beispiel eine Warnung für die Welt sein.«[44] Unermüdlich rief er zum Widerstand gegen den Faschismus in
Deutschland und anderen Ländern auf. Er half den Flücht-
lingen und nach Beginn des Bürgerkriegs in Spanien der
Zivilbevölkerung, wo er nur konnte. Doch als sich der
Schatten der Barbarei immer weiter über Europa ausbrei-
tete, verzweifelte Toller, und wie Karl Thomas wählte er im
Mai 1939 in New York den Freitod. Der Berliner *Lokal-
Anzeiger*, in dem zwölf Jahre vorher Ludwig Sternaux,
der ebenfalls vor den Nazis fliehen mußte, Tollers *Hoppla,
wir leben!* als »Konfession eines kranken Hirns«[45] verdammt hatte, jubelte nun über seinen Tod und verband
den Dramentitel mit dem nationalsozialistischen Motto

43 Vgl. dazu die Rezensionen in Spalek, *Ernst Toller and His Critics*,
S. 879 ff. Auch Nachkriegsinszenierungen 1951 von Giorgio Strehler im
Piccolo Teatro in Mailand und 1966 von José Valverde im Gérard-
Philipe-Theater in St. Denis waren erfolgreich.
44 Ernst Toller, *Prosa, Briefe, Dramen, Gedichte*, hrsg. von Kurt Hiller, Reinbek bei Hamburg 1961, S. 187.
45 In der Ausgabe vom 4. September 1927.

»Deutschland muß leben, und wenn wir sterben müssen«
zu einem gehässigen: »Hoppla, ihr sterbt! Deutschland
aber lebt!«[46] Aber sechs Jahre später, genau achtzehn Jahre
nach dem Entlassungstermin von Karl Thomas aus der An-
stalt am 8. Mai 1927, starb auch dieses Deutschland in
einer Agonie ohnegleichen, und ein Kapitel deutscher Geschichte fand ein Ende, das Toller vorhergesehen hatte, als
er zu Silvester 1931 schrieb: »Geschieht heute nichts,
stehen wir vor einer Periode des europäischen Faschismus,
einer Periode des vorläufigen Untergangs sozialer, politischer und geistiger Freiheit, deren Ablösung nur im Gefolge
grauenvoller, blutiger Wirren und Kriege zu erwarten ist«
(I, 72 f.).

Tollers Drama ist nicht nur aus historischen Gründen von
Bedeutung. Hans Mayer schrieb kürzlich über Tollers Ge-
samtwerk: »Beim Wiederlesen von Theaterstücken einer
vergangenen Zeit wird man stets fragen müssen, ob die
Möglichkeit besteht, sie neu zu sehen, zu inszenieren und
zu spielen. Das ist am ehesten wohl möglich bei ›Hoppla,
wir leben!‹ Die offene, revueartige Form kommt heutiger
Auffassung und Spielweise weit stärker entgegen als die
oratorienhafte Anlage von Tollers expressionistischen Sta-
tionenstücken und als die pseudorealistische Gesinnungs-
theatralik der Exildramatik.«[47] Nicht nur von der Struktur,
sondern auch von der objektiv-sachlichen Sprache her
spricht das Stück den heutigen Theaterbesucher mehr an als
Tollers frühe Dramatik. Und die Fragen, die das Stück
aufwirft, sollten auch noch heute ein kritisches Theater-
publikum interessieren, das sich mit den Problemen
Deutschlands und der Welt auseinandersetzen will.

[46] In der Ausgabe vom 24. Mai 1939, zit. in I, 10.
[47] Hans Mayer, »Die Stimme Tollers«, in: *Theater heute* 9 (1978)
, 45.

Dramen des Expressionismus

IN RECLAMS UNIVERSAL-BIBLIOTHEK

Philipp Reclam jun. Stuttgart